10673989

Ineke Hoekstra

CADEAU-IDEETJES VOOR DE KRAAMTIJD

Cantecleer

ISBN 90 213 3455 0
NUR 446

Vormgeving omslag en binnenwerk: Hans Britsemmer, Kudelstaart
Fotografie: Gerhard Witteveen, Apeldoorn

DANKWOORD

Speciaal wil ik bedanken:

Rinske, Joke, Kathinka en Marianne

Die me mede geïnspireerd hebben om dit boek te kunnen maken zoals het nu is.

Dit boek is gepubliceerd door:
Uitgeverij Cantecleer
Postbus 309
3740 AH Baarn

Cantecleer maakt deel uit van Tirion Uitgevers bv

Inhoud

Het kraampakket

Toen ik hoorde dat er een baby op komst was ben ik op zoek gegaan naar ideeën voor een kraampakket. Het idee van een kraampakket is om gedurende tien dagen van de kraamtijd, voor elke dag een verrassing in te pakken. Dit hoeven natuurlijk niet allemaal zelfgemaakte dingen te zijn. Ik vond het echter een uitdaging om de cadeautjes zelf te maken.
Voor de kraamvrouw is het leuk om elke dag een nieuw pakketje te mogen openmaken en te ervaren dat het met zorg is gemaakt en ingepakt.

Eerst ben ik me gaan oriënteren op kleuren en stoffen om voor de mand en de cadeautjes te gebruiken. Mij vielen stoffen op met olifanten en vervolgens zag ik overal ideetjes met olifanten. Aangezien ik niet wist of het een jongen of een meisje zou zijn ben ik begonnen met neutrale kleuren, zoals ecru, geel, oranje, blauw en groen. Koop genoeg stof, bijvoorbeeld minimaal een halve meter per kleur, zodat je er verschillende dingen van kan maken.
Soms is het voor de geboorte bekend of het een jongen of meisje is. Ook aan de inrichting van de babykamer kun je afleiden wat de aanstaande ouders aanspreekt in kleur en stijl. Je kunt misschien een stukje gordijnstof of behangpapier vragen om te gebruiken.
Voor de finishing touch kan het geboortekaartje een goede dienst bewijzen om bijvoorbeeld het geboorteschilderij te maken.

Met eenvoudige middelen kunnen verrassende cadeautjes gemaakt worden. Zo zijn de vingerpoppenkast en kaartenhanger gemaakt van verpakkingsdozen uit de supermarkt.
Betrek eventueel kinderen in het complot om mee te helpen met de cadeautjes. Ze kunnen de poppenkast beschilderen en tekeningen maken op de vlaggetjes met textielstiften. De ballonnen zijn door kinderen van groep 2 gemaakt voor hun juf.

In dit boek staan ideeën voor cadeautjes die ook afzonderlijk gemaakt kunnen worden en als enkel kraamcadeautje kunnen dienen. Verder staan er gedichtjes in die in een kaartje geschreven of geprint kunnen worden. Er zijn cadeautjes bij die je pas kunt maken als het kindje geboren is.
Geef de mand met enkele cadeautjes en vul deze steeds bij als er weer iets gemaakt is.

Gebruikte materialen

- Rieten mand
- Spanen doosjes
- Berken multiplex en triplex
- Rondhout (14 mm)
- Katoenen stoffen, effen, gedessineerd en met prints
- Katoenen badstof, broderiestof
- Pluchestof (ecru)
- Fiberfill tussenvoering 100 grams
- Fiberfill vulmateriaal
- Schapenwollen vulmateriaal naar keuze
- Breiwol
- Vliesofix en plakvlieseline
- Kant, koord, lint
- Naai- en borduurgaren
- Knisperplastic
- Elastiek
- Dozenkarton
- Knutselkarton
- Kopieerpapier en blanco kaarten Pakpapier
- Dubbelzijdig aslan
- Schildersdoek of houten paneel
- Heavy gel medium 015 van Talens (verkrijgbaar in hobbywinkels en winkels voor kunstschilderbenodigdheden)
- Multicoat-mat
- Fotolijm
- Pretex
- Acrylvernis van Talens
- Acryl universal satin van Talens
- Acryl Amsterdam van Talens
- Permanentstiften
- Potlood (zacht en hard)
- Kleurstiften
- Ringen met klem (draadspangarnituur)
- Sleutelringen
- Plantenstokjes

Gereedschappen:

- Naaimachine
- Naainaalden en spelden
- Breinaalden, haaknaald
- Stofschaar
- Knutselschaar met scherpe punt
- Blikschaar
- Metaalvijltje
- Holpijpje (5 mm)
- Hamer
- Decoupeerzaag met de fijnste houtzaagjes
- Boormachine met boren (14 en 4 mm)
- Schuurpapier
- Houtlijm
- Lijmklemmen
- Kleine spijkertjes
- Verf en lijmkwasten

De kraammand met quiltje

Ga op zoek naar een rieten mand die niet te diep is, eventueel met een hengsel. Ik heb van de mand een bedje gemaakt met een olifantenknuffel waar het kindje later mee kan spelen. Je kunt ook een gekochte knuffel in de mand zetten.
Verzamel vervolgens leuke stofjes, waarvoor je misschien ook bij buren en kennissen terechtkunt.

Quiltje

Neem een stukje karton van ongeveer 10 bij 10 cm en snijd hieruit een vierkant van 8 bij 8 cm. Knip nu lapjes van 8 bij 8 cm en gebruik hierbij het karton om de goede afbeeldingen te zoeken. Maak 3 of 4 lapjes per kleur. Sorteer de lapjes tot ze in de gewenste volgorde liggen in rijen van 5 bij 5. Als je een langwerpig quiltje wilt maken kun je er nog een rij aan toevoegen.
Naai de eerste rij lapjes aan elkaar met een naad ter breedte van de voet van de naaimachine, dit is ongeveer driekwart cm. Strijk de naadjes aan de achterkant open.
Naai de volgende rijen en naai deze aan elkaar. Zorg ervoor dat de hoeken precies op elkaar komen. Ik deed dit door precies op de stiksels een speldje te steken. Als je de speld dwars steekt kun je er overheen naaien zonder dat de naald breekt. Strijk tussendoor steeds de naden open en strijk alles mooi glad.
Neem nu een stuk fiberfill ter grootte van de gemaakte lap met aan alle vier de kanten 10 cm extra. Leg dit tegen de achterkant van de lap en controleer of alle naadjes openliggen. Leg een lap dunne stof in een bijpassende kleur aan de achterkant. Stik nu om de lapjes door de stiksels en begin in het midden. Werk steeds verder naar de rand. Ik zette enkele spelden om de stof

BENODIGD MATERIAAL

- *8 verschillende stofjes voor de blokjes en de rand*
- *Een stuk fiberfill voor de tussenlaag van ongeveer 50 bij 50 cm*
- *Dunne stof voor de achterkant*
- *Bijpassend garen*
- *Naaimachine*
- *Karton*

niet te laten verschuiven. Eventueel kan het werkstuk eerst losjes worden doorgeregen.
Knip stroken stof van 10 cm breed en stik deze rondom aan de goede kant van de quilt. Knip de uitstekende fiberfill af op 4 cm vanaf de rand. Strijk een zoompje van 1 cm aan de rand van de strook en naai dit aan de achterkant met de hand tegen de naad vast. Vouw de hoeken aan de achterkant schuin naar binnen.

Maak het bedje verder af door een matrasje te naaien van effen stof in de maat van de bodem van de mand.
Naai een kussentje van een van de stofjes die in het quiltje zijn gebruikt. Neem hiervoor twee lapjes van 24 bij 30 cm en naai deze op elkaar, maar laat aan een lange kant in het midden een stukje open. Keer het om en naai langs de twee korte kanten en de bovenkant op drie cm vanaf de kant een stiksel. Leg twee stukjes fiberfill van 16 bij 20 cm op elkaar in het kussentje en naai de onderkant dicht.
Bevestig een kaartje aan de mand met een gedicht.

Gedicht:

Kleine handjes reiken
naar de warmte en het licht.
Naar moeders zachte stem
en een vertrouwd gezicht.
Kleine voetjes trappelen,
zoekend naar zekerheid.
Het kind
dat de wereld wil ontdekken,
vanuit geborgenheid.

Olifantenknuffel

Nu is het de beurt aan de olifantenknuffel. Ik heb er een ecrukleurige soepele stof voor gebruikt en voor de oren vrolijke lapjes.

BENODIGD MATERIAAL

- *50 cm ecrukleurige stof*
- *Vulling van fiberfill of schapenwol*
- *Donkerbruine borduurzijde, bijvoorbeeld nr. 839 van DMC*
- *Patroonpapier*
- *Naaigaren*

Neem de patroondelen over en knip ze met een naad uit de stof. Neem voor de hals de naad iets breder aan de bovenkant van de lijfdelen en de onderkant van de kop. Naai de twee voorpanden en vervolgens de rugpanden aan elkaar over de middenvoor- en middenachternaad. Knip de naad bij de ronding in zodat deze niet gaat trekken.
Leg de twee delen met de goede kanten op elkaar en naai ze rondom. Laat de hals open. Knip de hoeken schuin weg en knip de naden in bij de rondingen. Keer het werk met de goede kant naar buiten om.
Vul nu eerst de poten luchtig op en naai met de machine of met de hand zoals met de stippellijn is aangegeven. Vul vervolgens het lijf. Vul alles niet te stijf op zodat de knuffel zacht blijft aanvoelen en de poten goed kunnen bewegen.
Naai de twee delen van de kop op elkaar en laat de hals open. Knip de naden in en keer de kop met de goede kant naar buiten.
Naai de twee delen van de slurf op elkaar en laat aan de zijkant een stukje open om te vullen. Knip de naden heel kort en keer hem om. Vul de slurf licht op en naai de vulopening onzichtbaar dicht. Naai met de machine of met de hand de kleine stiksels in de slurf en naai deze vervolgens aan de kop vast (zie stippellijn op het patroon).
Borduur met het bruine borduurgaren met twee draadjes de oogjes, de mond en enkele steekjes op de stiksels van de slurf. Hecht de draad af onder de slurf.
Vul de kop en naai de hals met de hand dicht. Vouw de naad van de hals van het lijf naar binnen en rijg rondom met een rijgdraad. Trek de draad iets aan en naai het lijf aan de kop. Trek de rijgdraad eruit.
Naai de twee oren van vrolijk gekleurde lapjes, knip de naadjes kort en keer

ze om. Stik ze kort langs de randen rondom door en naai ze met de hand op de kop vast (zie patroon).
Naai een sjaaltje van een afstekende kleur stof en strik dit om de hals. Knoop het goed vast zodat de baby het niet los kan krijgen.

Zet de knuffel in de mand en dek hem toe met het dekentje.

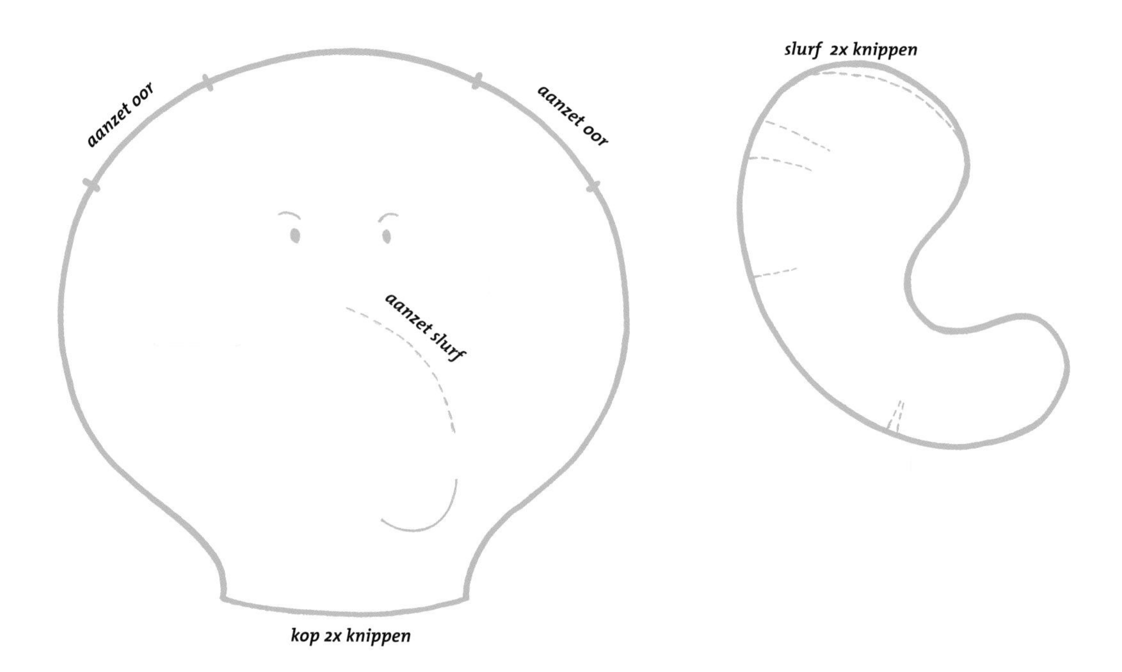

PATRONEN OP 50% WARE GROOTTE

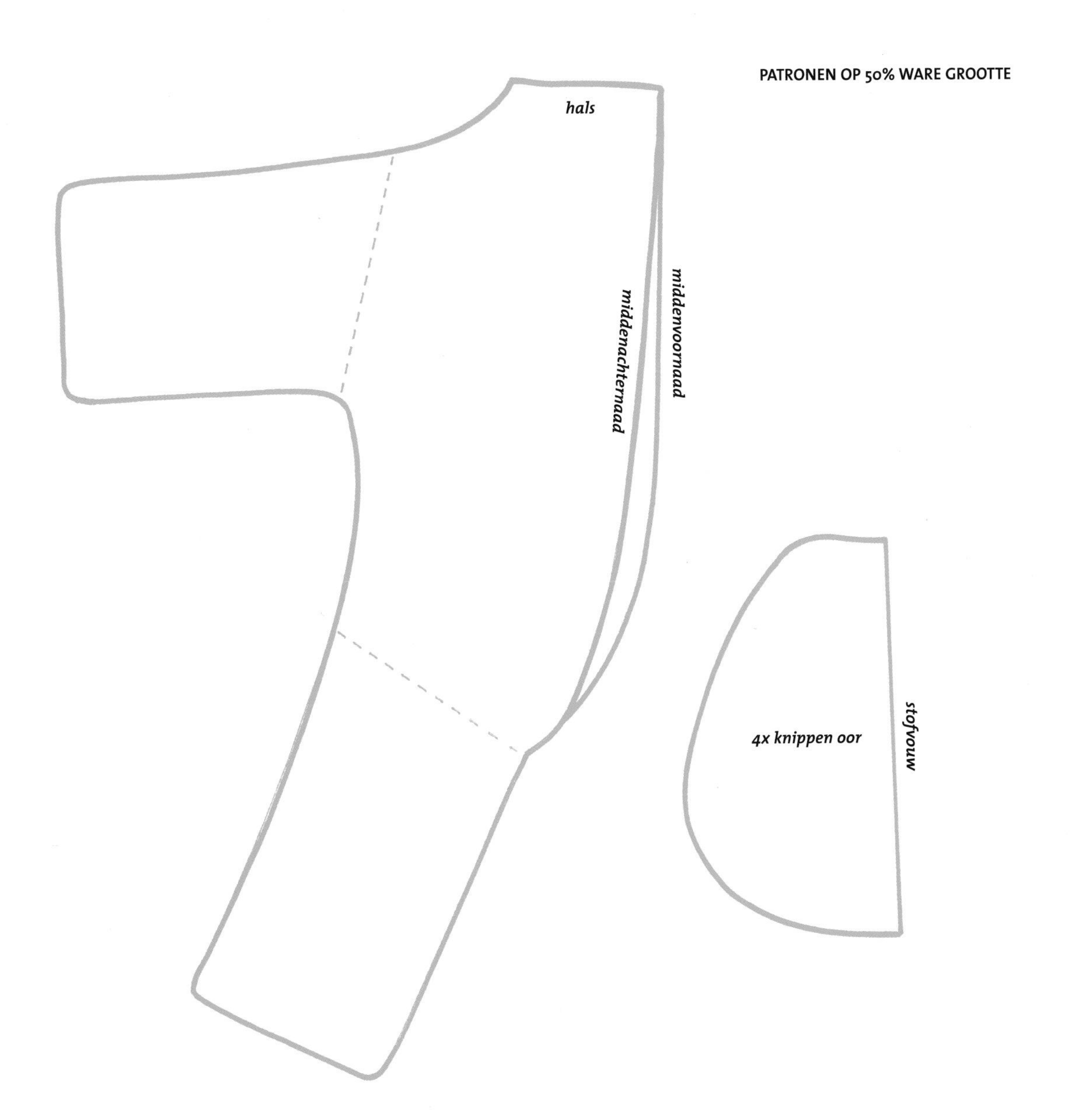

Speenhouder

Deze speenhouder is ook te gebruiken om het lievelingsknuffeltje aan te bevestigen, zodat het niet wegraakt bij het wandelen.
Maak er eventueel verschillende, ze zijn snel gemaakt in verschillende kleuren.

Knip een strook stof van 8 bij 120 cm en vouw rondom 1 cm naar de binnenkant van de stof. Vouw de strook dubbel met de goede kant naar buiten en stik met de naaimachine op enkele mm van de buitenkant over de omgevouwen naden langs de lange kant.
Neem een lang stuk elastiek (knip het later pas af). Leg het elastiek door de tunnel tegen het stiksel aan en naai naast het elastiek op 1 cm van de kant. Naai het uiteinde van het elastiek net onder de stof aan een korte kant stevig vast. Trek het elastiek aan zodat de stof rimpelt en naai het aan de andere korte kant vast. De lengte mag ongeveer 30 cm zijn. Knip het uitstekende elastiek af. Draai de stof als een spiraal om het elastiek.
Neem een metaalvijltje en schuur de scherpe puntjes weg van het bekje van

BENODIGD MATERIAAL

- *Een strook soepele stof van 8 bij 120 cm*
- *Een draadspanring met klemmetje (verkrijgbaar bij de doe-het-zelfwinkel)*
- *Een sleutelring van 2.5 cm doorsnede*
- *Een klein ringetje*
- *Een stuk elastiek*
- *Garen in een bijpassende kleur*
- *Metaalvijl*

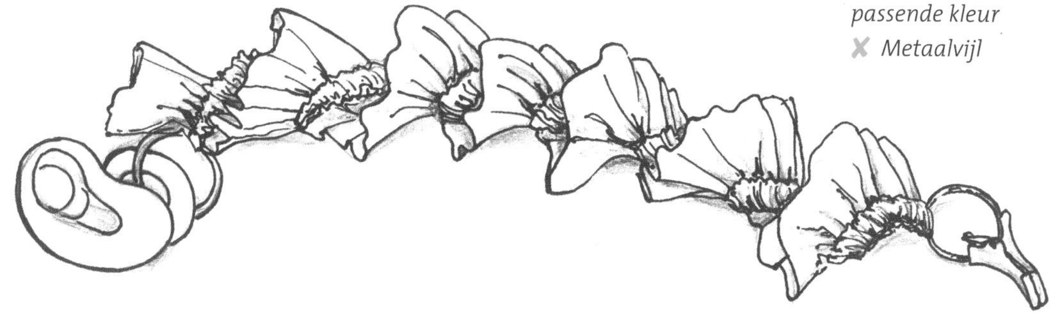

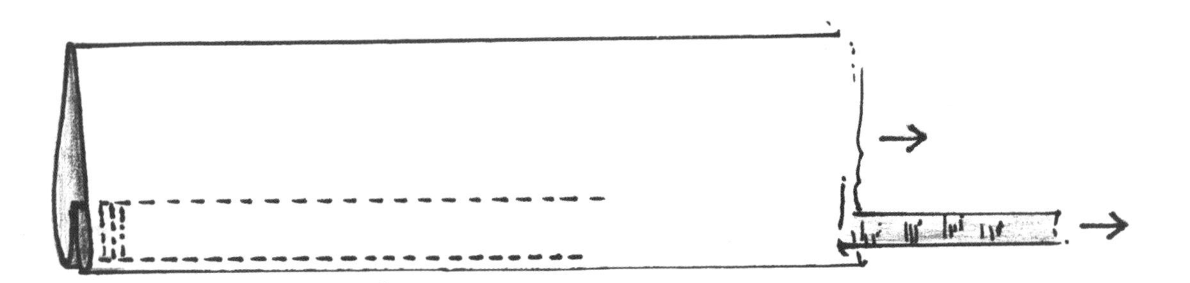

de klem. Naai dit klemmetje met de ring aan de strook stof. Naai aan de andere kant het kleine ringetje en maak de sleutelring daaraan vast.
Aan de sleutelring kunnen nu de speen of het knuffeltje bevestigd worden.
Door het gebruik van de sleutelring kan de stof apart gewassen worden.
De draadspanringen zitten met meerdere in een zakje verpakt. Zo kunnen er gemakkelijk verschillende speenhouders gemaakt worden in allerlei kleuren.

Variatie: Gebruik in plaats van de draadspanring een bretelklem.

Gedicht

om aan een cadeautje te bevestigen:

Er zijn handen
die je dragen
en armen waar je
veilig bent.
Er zijn mensen
die je zeggen
dat je heel erg
welkom bent.

Olifantkussen

Dit kussentje is een heerlijk ruggensteuntje bij het voeden en kan later in het bedje van het kindje worden neergezet.

Neem het patroon van het lijf over op ware grootte en knip dit tweemaal met naad. Gebruik eventueel de stofvouw aan de onderkant van het kussen. Naai de twee delen op elkaar en naai de slurf vooral bij de bocht tweemaal door. Laat een vulopening open aan de achterkant van de olifant.
Knip de naad klein bij de slurf en geef knipjes bij de bochten. Keer het werk met de goede kant naar buiten. Leg een plat stuk fiberfill (eventueel twee stukjes op elkaar) in het midden tussen de poten aan de binnenkant tussen de stof. Knip langs de stippellijn het stukje uit het patroon en leg dit op de stof. Speld het vast en stik langs de lijn de boog tussen de poten door. Vul nu eerst de slurf stevig op en vul dan de rest van de olifant.
Knip een stukje ecru stof van 6-10 cm en vouw een naadje om aan de smalle kant. Naai hieraan het stukje vilt en knip dit in zodat er strookjes aan komen. Vouw de lange kanten naar binnen en naai het lapje dubbel. Speld het staartje aan de achterkant en naai het tussen de stof vast. Naai daarmee ook de vulopening dicht. Borduur een klein oogje op de kop.
Knip uit vier verschillende lapjes de oren en naai daar twee oren van zoals bij de olifantenknuffel. Maak een plooitje zoals op het patroon is aangegeven en naai de oren op de aangegeven plaats vast.

BENODIGD MATERIAAL

- *50 cm ecrukleurige stof*
- *Een klein stukje platte fiberfill en vulmateriaal naar keuze*
- *4 verschillende lapjes stof voor de oren*
- *Een stukje vilt (6-7 cm)*
- *Een draadje donkerbruine borduurzijde (nr. 839)*
- *Ecru naaigaren*

Bal

Deze bal kan worden gemaakt van kleine reststukjes stof. Neem hiervoor het patroon over op karton voor een malletje en knip 8 stukjes stof met naad. Naai ze aan elkaar en laat tussen twee lapjes bij het breedste gedeelte een stukje open om te keren. Keer de bal en vul hem stevig, maar niet te hard met vulmiddel, zoals fiberfill of schapenwol.
Naai met de hand aan weerskanten bij de punten van de lapjes eventuele gaatjes dicht. Naai de vulopening dicht.

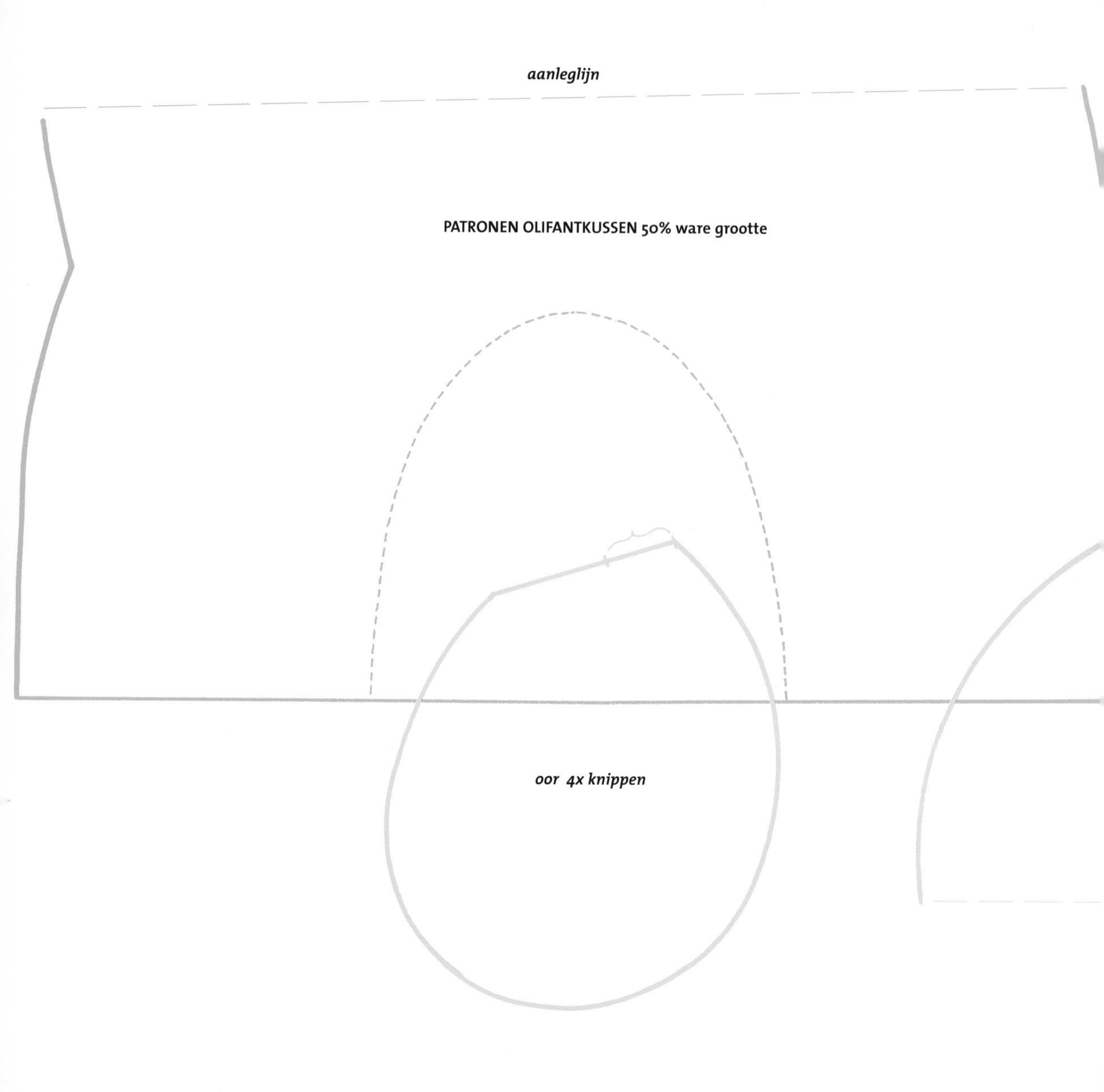
aanleglijn
PATRONEN OLIFANTKUSSEN 50% ware grootte
oor 4x knippen

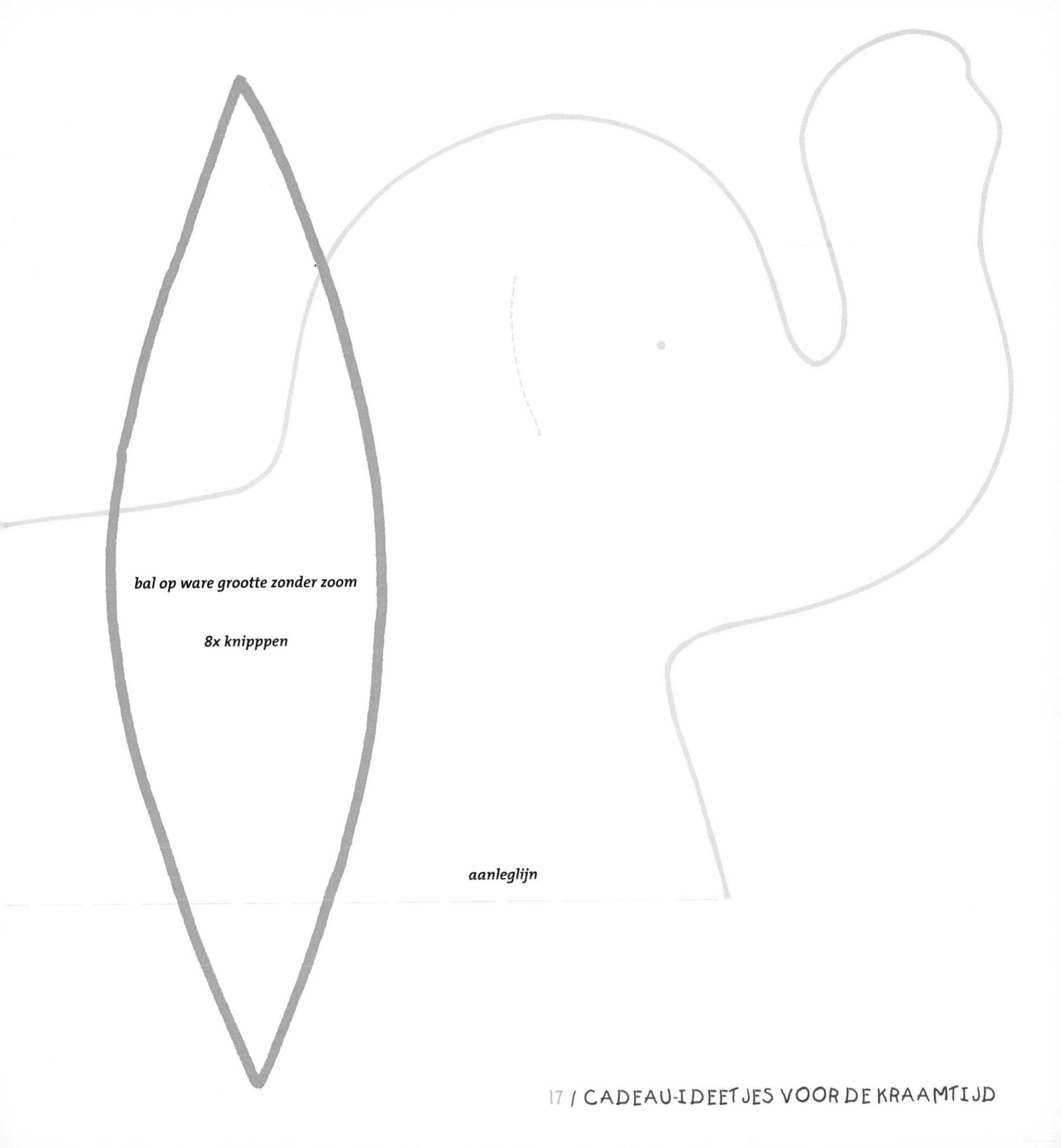
bal op ware grootte zonder zoom
8x knipppen
aanleglijn

Babycape

Knip een lap badstof van minimaal 80 bij 80 cm en een driehoek waarvan de beide zijden 35 cm zijn en de lange zijde 49,5 cm. Zigzag met de machine de beide delen rondom en was de badstof eerst, evenals de stof voor de afwerking. Naai een strook gedessineerde stof tegen de lange kant van de driehoek. Vouw de stof naar de goede kant, vouw een zoompje naar binnen en naai de strook vast. Er mag aan de rand een randje badstof van ongeveer een cm te zien zijn.
Knip 4 stroken van 5 cm breed en minimaal 80 cm lang van katoen (effen of gedessineerd). Maak van deze stof ook een lus voor aan de punt van de capuchon. Leg de capuchon met de goede kant op de lap badstof. Leg daarop de strook katoen en naai deze langs de randen vast.Naai tot de hoek en stop ter breedte van een naainaad. Begin met de volgende strook op dat punt te naaien.
Naai aan de punt van de capuchon de lus ertussen. Knip de naden klein en de hoeken schuin weg en keer de rand naar binnen. Vouw een omslag naar binnen en naai de rand op de badstof vast. Naai op de hoeken de stof netjes naar binnen en sluit het naadje.

BENODIGD MATERIAAL

- *Katoenen badstof (80 cm)*
- *Een strook stof voor de randen*
- *Stof voor de rand van de capuchon*
- *Naaigaren*

Spuugdoekje

Van overgebleven badstof kunnen spuugdoekjes worden gemaakt. Maak deze niet te klein, want het is altijd handig om een doekje bij de hand te hebben om de kleding te beschermen.
Werk de doekjes op dezelfde manier af als bij de cape, maak eventueel smallere randen en gebruik verschillende stoffen.

Kandeel
Judie
Judie
Judie
Judie
Judie
Judie
Judie

Om te kopen

Als vulling voor de mand kunnen cadeautjes worden gekocht en ingepakt zoals:

Venkelthee tegen krampjes.
Donker bier (ook alcoholvrij), ***venkel-, karwij- of anijszaadjes*** voor de borstvoeding.
Zakjes ***gemengde noten,*** ook goed voor de borstvoeding.
Anijstabletten voor in de warme melk (anijsmelk).
Verzorgingsproducten, zoals ***babymassage-olie of huidverstevigende lotion*** voor de moeder.
Geluksflesje, dit flesje vond ik in een winkeltje voor babycadeautjes en is ook in oosterse winkels of wereldwinkels verkrijgbaar (zie foto blz. 7).
Om een bepaalde wens kracht bij te zetten kan een kaars gebrand worden in de gewenste kleur. Het is daarom leuk om ook enkele kaarsen cadeau te geven.
Aan de ingepakte cadeautjes kunnen kaartjes worden bevestigd met een gedichtje.
De cadeautjes die het eerst uitgepakt mogen worden, kunnen worden voorzien van een nummer; het dagboekje kan bijvoorbeeld meteen gebruikt worden.

Verder kunnen lekkere drankjes en andere versnaperingen worden gemaakt, speciaal voor de kraamtijd zoals kandeel, een kraamdrank die verkrijgbaar is bij de slijter en is gemaakt op basis van brandewijn, suiker en verse eieren. Verder zitten er specerijen in verwerkt zoals nootmuskaat en kaneel.
Je kunt hem echter ook zelf maken.

Kandeel

BENODIGDHEDEN

- *Twee flessen zoete witte wijn*
- *Zes kruidnagels*
- *Enkele pijpjes kaneel*
- *100 gram suiker*
- *10 eidooiers*

Laat de wijn met de kaneel en de kruidnagels een nacht trekken. Klop de volgende dag de eidooiers en de suiker door elkaar. Verwarm de wijn tot ongeveer 50 graden (niet laten koken). Roer dan het eimengsel erdoor tot het geheel gebonden is. Giet de kandeel als hij nog warm is in kleine glaasjes en breng een toast uit op de nieuwe baby.

TIP: *Giet kandeel over vanille-ijs en spuit daarop een toefje slagroom of Haagse bluf. Garneer dit met een lange vinger of een kaneelbeschuitje.*

Haagse bluf

BENODIGDHEDEN

- *5 eiwitten*
- *100 gram kristalsuiker*
- *Water*
- *Azijn*
- *Fruitsalade*

Klop de eiwitten met de kristalsuiker met een garde stijf. Maak de kom eerst goed schoon en smeer hem daarna in met een stukje keukenrol waarop wat azijn is gesprenkeld. Doe dit ook met de garde. Voeg voor het kloppen een klein beetje heet water toe (niet meer dan een eetlepel).
Maak een fruitsalade en schep dit in kommen of wijde glazen.Schep hierop de Haagse bluf.

Schuimpjes

BENODIGDHEDEN

- *5 eiwitten*
- *300 gram kristalsuiker*
- *Theelepel maïzena*
- *Azijn*
- *Cocktailprikkers*
- *Vlaggetjes*

Klop de eiwitten stijf. Roer de kristalsuiker en een theelepel maïzena grondig door elkaar. Klop dit met beetjes tegelijk door het eiwit totdat dit glanst. Leg een stuk bakpapier of stukjes ouwel op een bakplaat en spuit met een spuitzak dotjes schuim op de plaat.
Verwarm de oven voor op 100 graden en laat de schuimpjes opdrogen.Dit duurt ongeveer een uur. Laat de ovendeur eventueel op een kiertje staan.

TIP: *Prik in de schuimpjes voor het drogen cocktailprikkers en plak hieraan na het afkoelen een vlaggetje met de naam van de baby. Als je de cocktailprikkers eerst een uurtje in het water legt zullen ze niet verkleuren door de hitte van de oven.*

VARIATIE: *Roer door het stijfgeklopte eiwit geraspte kokos.*

Warme drank zonder alcohol

Boen de appel en de sinaasappel schoon (eventueel onbespoten). Leg de schil van de appel en de sinaasappel, de kruidnagels en de pijpkaneel in het water in een pan en laat het twee uur zachtjes koken.
Zeef het water en doe daarbij de appelsap, de honing, de rozijnen en de in blokjes gesneden appel. Breng het weer aan de kook en laat het zo lang trekken tot de rozijnen volgezogen zijn en bol staan. Voeg eventueel nog wat honing toe.
Drink de drank warm op.

BENODIGDHEDEN

- *Een liter appelsap*
- *Een liter water*
- *Grote appel*
- *50 gram rozijnen*
- *Schil van 1 sinasappel*
- *Tien kruidnagelen*
- *Stukje pijpkaneel*
- *Eetlepel honing*

Spanen doosjes

Spanen doosjes zijn eenvoudig te beschilderen en beplakken en kunnen voor verpakking van een ander cadeautje dienen zoals een paar sokjes, een klein knuffeltje, een zakje gemengde noten of thee van venkel, karwij- en anijszaadjes.
Het kleinste doosje is voor een haarlokje of eerste melktandje. U kunt er ook voor de moeder een halskettinkje met een kinderkopje indoen. Laat er de naam van het kind in graveren (verkrijgbaar bij de juwelier).

Knip eerst de afbeeldingen ruim uit de stof. Haal met de punt van de schaar het papier los van het aslan en plak vervolgens het aslan aan de achterkant van de stof. Knip nu de afbeelding precies uit.
Kies bijpassende kleuren verf en beschilder de doosjes.
Haal met de punt van de schaar een hoekje van het plastic laagje van het aslan af en trek daarna het overige plastic weg. Er blijft alleen een plaklaagje over op de achterkant van de stof, er is als het ware een sticker ontstaan. Plak deze sticker(s) op de spanen doosjes op de boven- of zijkant, afhankelijk van de afbeelding (doosjes op de foto op blz. 7-15).
Bij enkele doosjes heb ik het deksel beplakt met stof (doosje op foto blz. 55). Schilder hiervoor eerst de rand en eventueel de bovenkant van het deksel als de stof doorschijnt. Teken de maat af op de stof en knip dit ruim uit. Smeer het deksel in met heavy gel en leg daarop het lapje stof. Laat het enkele minuten drogen en druk het daarna aan. Zet het een tijdje onder druk weg. Als het droog is kunnen de randjes uitstekende stof met een scherp schaartje worden weggeknipt. Heavy gel droogt transparant op en lijmt zeer goed. Het is ook heel geschikt voor het lijmen van papier en karton omdat het papier mooi glad blijft.
Als het doosje klaar is kan het nog met een of twee laagjes multicoat worden beschilderd voor de afwerking. Breng de laagjes haaks op elkaar aan.

TIP: *Maak de kleuren verf zelf als de beschikbare kleuren niet helemaal naar wens zijn. Doe hiervoor witte acrylverf (bijvoorbeeld Amsterdam van Talens) op een schoteltje of kommetje en doe er enkele druppeltjes kleur bij. Roer er steeds zoveel kleur doorheen tot deze aan de wensen voldoet.*
Het is handig om deze verf in kleine potjes te bewaren.

Voor het doosje met het kantje is een stukje kant met een doorgeregen lintje gebruikt (zie foto op blz. 7). Knip het kant op maat, zodat de uiteinden net over elkaar komen.
Verf eerst het doosje en het deksel in de gewenste kleuren.
Leg een stuk karton neer en leg daarop het kant. Smeer dit vervolgens aan twee kanten in met heavy gel en laat het enigszins drogen. Als het niet meer afgeeft kan het lintje door de gaatjes geregen worden.
Smeer de rand van het deksel in met heavy gel en leg het kant eromheen. Stop het lint weg naar achter en plak de uiteinden van het kant over elkaar.
Leg het deksel ondersteboven neer met het kant naar boven en geef er met de vingers de goede vorm aan. Zet het deksel op het doosje en haal het er af en toe even af om ervoor te zorgen dat het niet vastplakt. Als het kant gedroogd is kan het deksel gemakkelijk op het doosje gezet worden.
Smeer de rest van het doosje in met multicoat en laat het drogen.
Hang er een kaartje aan met een gedicht en stop een mooi cadeautje in het doosje. Nu heeft u drie cadeautjes in één.

Gedicht:

.............(naam)

Jouw ogen zullen alles nog gaan zien.

De bloemen, de vogels en de bomen.

De wereld om je heen en in je dromen
zie je alle soorten wonderen
misschien.

Jouw wereld is nog zo leeg
zoals het doek
waarop je nu je leven mag gaan
kleuren.

De dingen die er ooit nog gaan gebeuren

schrijf je in de eerste bladzij van je boek.

Bij de handje

BENODIGD MATERIAAL

- *Gasten(hand)doekje*
- *Lapjes katoenen stof*
- *Naaigaren*

Dit 'bij de handje' is gemaakt van een gastendoekje. De basis voor deze slab is heel eenvoudig en hij is lekker groot zodat er naar hartelust gekliederd kan worden.
Vouw 13 cm van het handdoekje dubbel (aan de korte kant). Knip in het midden het halsje eruit en geef aan weerszijden een knipje van 2 cm. Naai van effen stof twee lintjes van 38 cm lang en leg deze tussen de ingeknipte stof aan weerszijden van de hals. Naai de lintjes vast en naai met een zigzagsteek rondom de hals. Keer de omgevouwen rand en trek de lintjes aan.
De slab kan nu verder versierd worden, bijvoorbeeld door er een applicatie op te maken of zoals bij het voorbeeld door er een bijdehandje van te maken voor een bijdehante baby!
Neem het patroon van de hand over op stevig papier en knip het precies uit. Leg een lapje katoen dubbel neer en teken op één kant het handje over met een potloodlijntje. Naai met een klein stiksteekje het handje over de potloodlijn en laat de onderkant open. Naai nog een keer waarbij de bochten tussen de vingers extra stevig genaaid worden. Knip de stof op enkele mm vanaf het stiksel weg.
Duw de stof van de vingers een stukje naar binnen met een stokje en keer verder de hand om. Dit vergt wat geduld en gepriegel. Als het gelukt is kan de hand goed platgestreken worden. Vouw daarbij een klein zoompje aan de onderkant naar binnen.
Maak nog een handje in een andere kleur.
Knip twee lapjes van 9 bij 12 cm en strijk aan alle kanten een zoompje van 1 cm om. Leg de handjes met de duimen naar elkaar toe op de slab op 14 cm vanaf de onderkant van de slab. Vouw de onderkant van de slab naar voren om, zodat er een omslag van 9 cm ontstaat. Bepaal nu waar de lapjes moeten komen zodat het net mouwtjes zijn waar de handjes uitsteken.
Naai de lapjes eerst aan de binnenkant van de omslag vast. Naai vervolgens de onderkant van de handjes met de machine op de slab. Sla de lapjes om

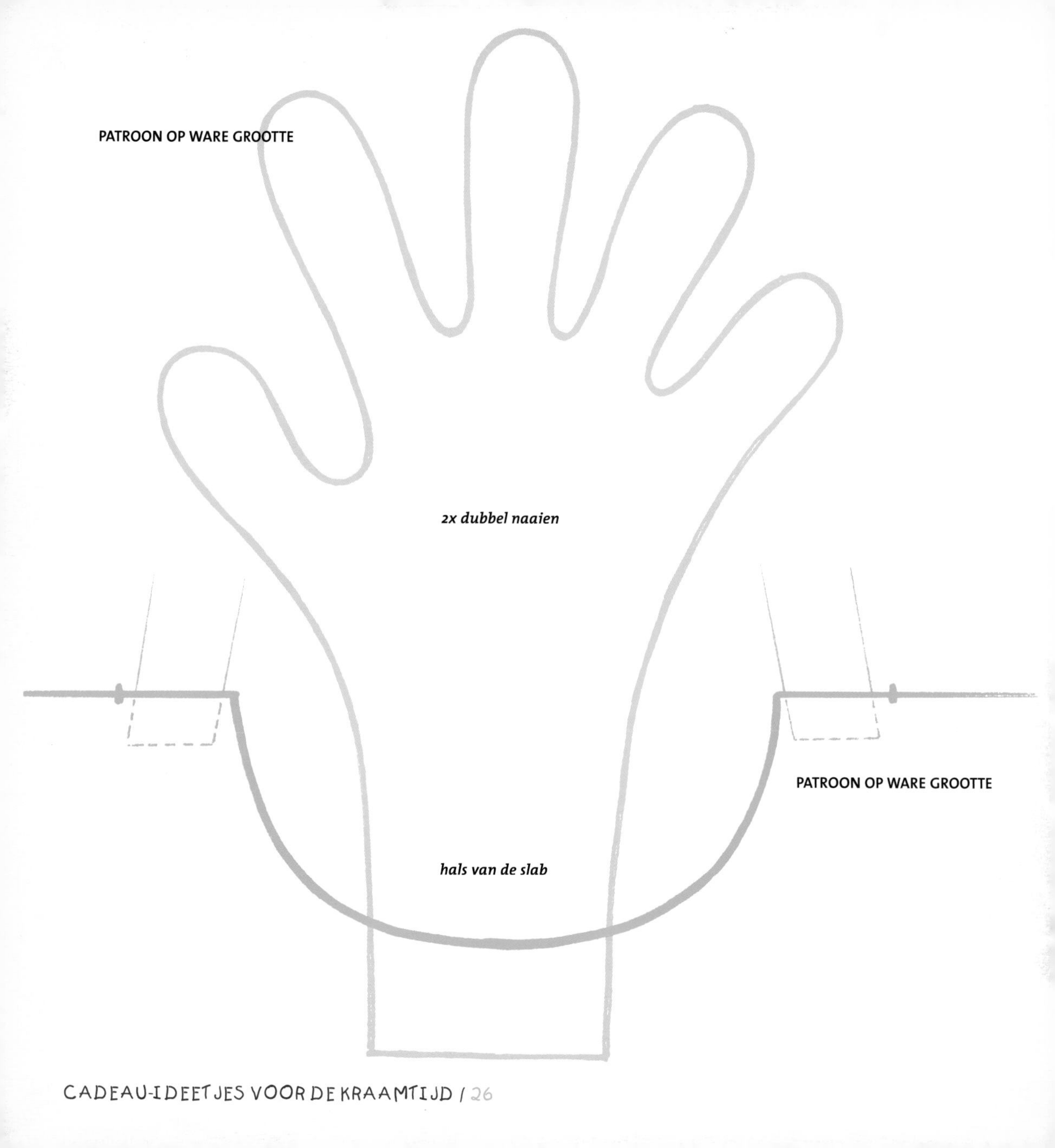
PATROON OP WARE GROOTTE
2x dubbel naaien
PATROON OP WARE GROOTTE
hals van de slab

naar de voorkant van de omslag en naai ze vast. Naai nu de handjes met kleine steekjes met de hand op de slab. Naai de omslag aan weerskanten aan de zijkant van de slab vast en maak ook een stiksel in het midden en op 2.5 cm vanaf de onderkant. Dit is de scheiding van de badstof en de ingeweven rand van het handdoekje.

Vlaggen

BENODIGD MATERIAAL

- *Gekleurde stukken katoenen stof*
- *Koord*
- *Karton om een mal te maken*
- *Neutrale kleur naaigaren (bijvoorbeeld grijs/beige)*

Ondertussen zijn er vast al heel wat lapjes verzameld en kunnen daar vlaggetjes van gemaakt worden.

Neem het patroon over op een stukje stevig karton en gebruik dit als mal. Leg de stof dubbel en steek er enkele spelden in tegen het verschuiven. Leg de mal op de dubbele stof tegen de stofvouw en teken deze met een potlood over. Knip de vlag om het potloodlijntje met een naad. Leg twee punten stof met de goede kant op elkaar. Naai alleen de schuine lijnen dicht en de rechte bovenkant. Knip de naad van de punt kort weg en keer de vlag door de opening in de zijkant. Vouw nu de zijkanten naar binnen en strijk de vlag plat. Rijg een koord door de tunnels van de vlaggen en naai aan de zijkanten over het koord de tunnels dicht. Zorg dat er een ruimte van ongeveer 5 cm tussen de vlaggen zit.

STOFVOUW

PATROON OP 75% WARE GROOTTE

Mouwloos truitje (maat 3/6 maanden)

Dit mouwloze truitje kan snel gebreid worden als het kindje geboren is. Het materiaal is superzacht en licht.

Gebruikte steken:

Ribbelsteek: Alle naalden recht breien.
Vasten haken: Steek de haaknaald in de rand van het breiwerk, maak een omslag en trek een lus. Steek de haaknaald in de volgende steek van het breiwerk en trek een lus, maak een omslag en haal deze door de beide lussen. Herhaal de laatste handeling. Maak op de hoeken meerdere vasten in één steek.
Kreeftensteek haken: Aan het eind van de toer vasten het werk niet omkeren en de haaknaald niet uit de lus halen. Steek de haaknaald van voor naar achter in de vorige vaste, maak een omslag en trek een ruime lus van achter naar voor. De draad zit nog aan de achterkant van het werk. Maak weer een omslag en haal deze door de twee lussen. Er wordt dus achteruit gehaakt in plaats van vooruit. Draai de haaknaald onderlangs om in de vorige steek te kunnen insteken. Er ontstaat een klein kartelrandje en dat geeft een mooie afwerking.

Brei eerst een klein lapje in ribbelsteek om te zien of de stekenverhouding klopt. Als met ander breigaren wordt gebreid pas dan de steken aan. Het patroon is gebaseerd op 15 steken per 10 cm. Neem eventueel dunnere of dikkere naalden.

BENODIGD MATERIAAL

- *Leggero van Lana Grossa (Het is verkrijgbaar in effen, in print en in stripes. Hier is stripes gebruikt in de kleur geel/oranje.)*

- *Breinaalden dikte 4 mm en een haaknaald dikte 3.5 mm*
- *Naald om het truitje in elkaar te zetten*
- *Naaigaren in een bijpassende kleur*
- *Vier knopen van 1.5 cm doorsnede*
- *Een stukje keperband (ecru)*

Voorpand:
Hier is met twee bollen gebreid, namelijk steeds twee naalden met de ene en twee naalden met de andere bol. Zo ontstaat een smalle streep, terwijl er, afhankelijk van het aantal steken, een bredere streep ontstaat, als er met één bol wordt gebreid. Zet met de draad van één bol 40 steken op en brei twee naalden recht. Neem nu de andere bol en brei hier twee naalden mee en vervolgens met de andere bol weer twee naalden. Brei zo het hele pand. Er zijn smalle strepen ontstaan.
Kant na 15 cm voor de armsgaten aan weerskanten 4 steken af. Kant na 25 cm de 8 middelste steken af voor de hals en aan weerskanten daarvan nog 1 maal 3 steken.
Brei met de overgebleven 9 steken voor elke schouder tot een totale lengte van 28 cm.

Rugpand:
Brei dit met één bol en zet 48 steken op. Brei hiermee tot 8 cm hoogte en kant aan één kant 8 steken af voor de overslag. Brei met de overgebleven 40 steken tot 15 cm hoogte.
Kant aan weerskanten 4 steken af voor de armsgaten en brei verder tot 28 cm. Kant nu alle steken af behalve de 9 steken van één schouder aan de andere kant als de overslag van de onderkant. Brei tot deze schouderoverslag 5 cm lang is en kant de steken af. Er zijn van onderaf steeds bredere strepen ontstaan omdat er steken afgekant zijn.

Afwerking:
Naai de zijnaden dicht. Laat de overslag van de onderkant loshangen. Naai een schouder dicht. Neem de haaknaald en haak rondom in het gesloten armsgat een toer vasten en een toer kreeftensteek. Haak op dezelfde wijze langs de zij- en bovenkant van de onderoverslag (dus niet langs de onderkant). Haak vervolgens langs het andere armsgat en aansluitend langs de schouderoverslag en de hals op dezelfde wijze. Haak bij de uitstekende hoeken meer vasten in een steek en bij de ronding van de hals en het armsgat

minder vasten. Hecht alle draden af.
Naai een stukje keperband aan de achterkant van de open schouder en naai aan de voorkant twee knopen. Leg de overslag over de knopen en duw met een vinger een knoopsgat door het breisel. Naai met dun garen in de goede kleur onzichtbaar om de knoopsgaten zodat deze open blijven staan. Naai de overslag aan de onderkant met twee knopen vast aan het voorpand.

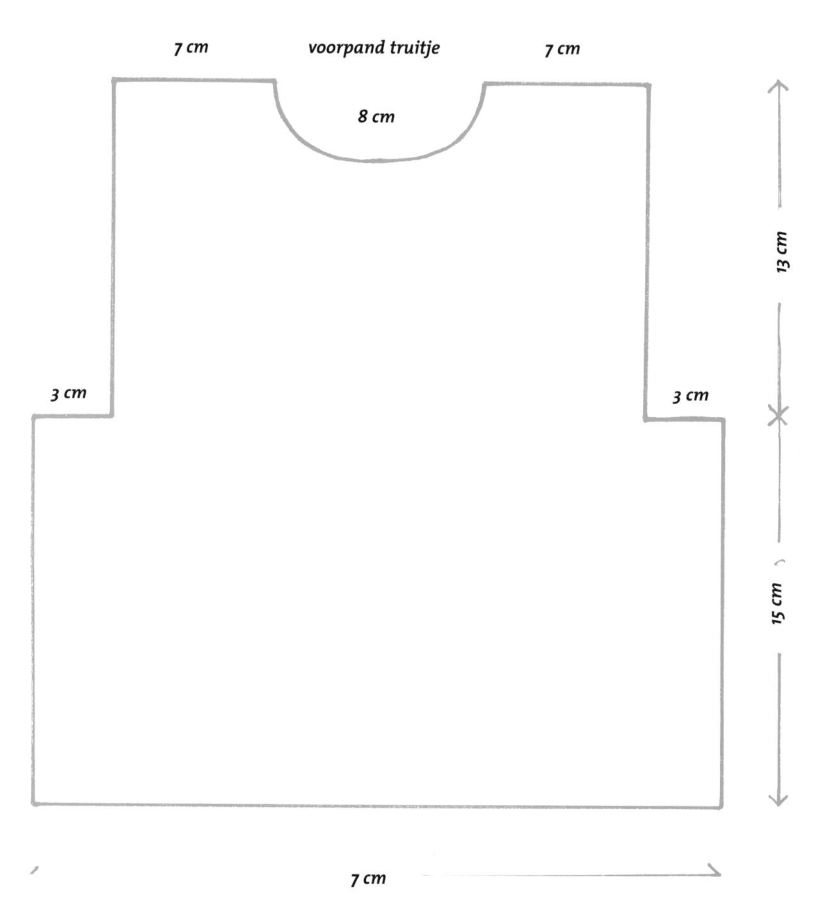

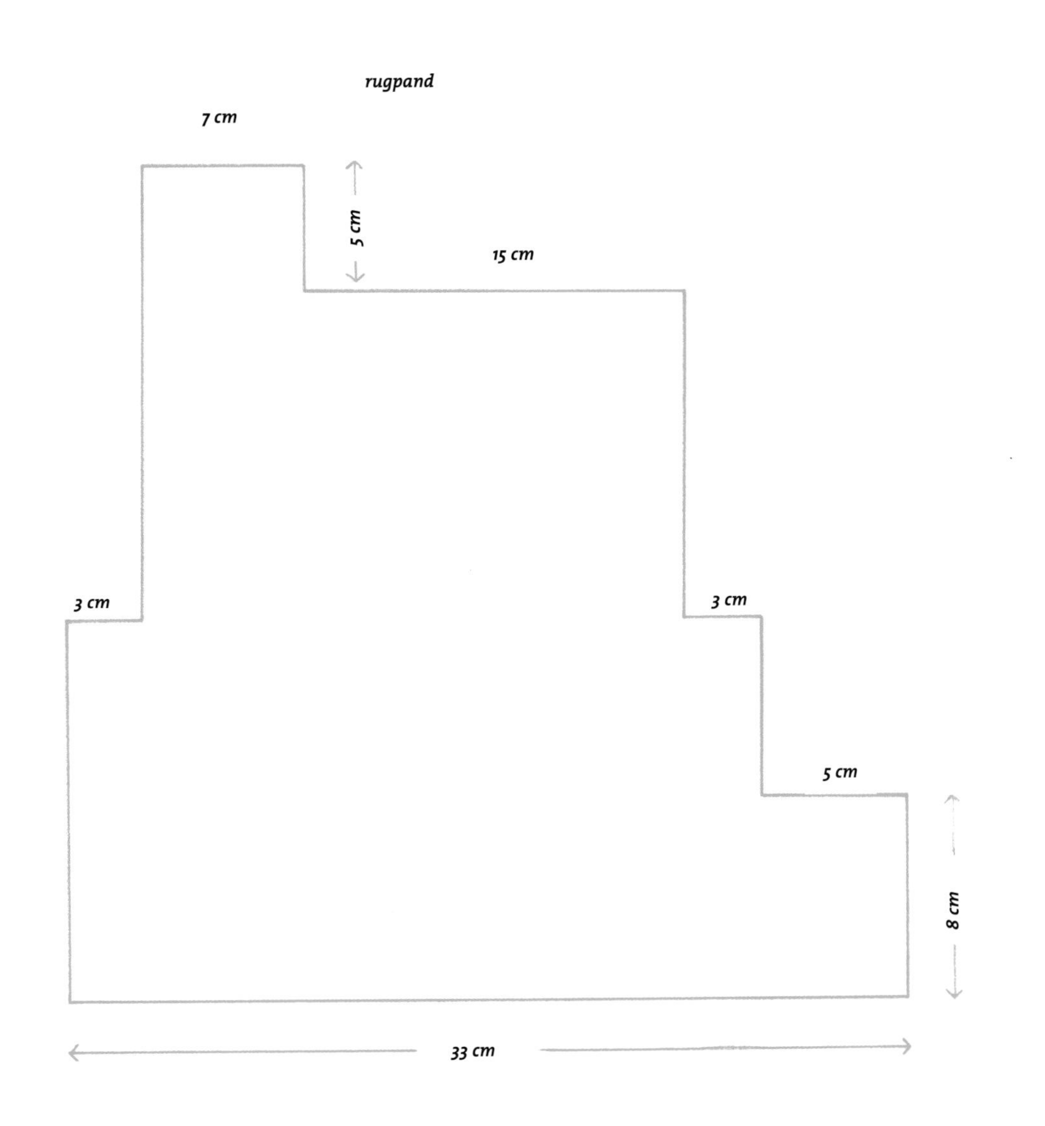
rugpand
7 cm
5 cm
15 cm
3 cm
3 cm
5 cm
8 cm
33 cm

Eenvoudig broekje (maat 68)

BENODIGD MATERIAAL

- *50 cm stof van 110 cm breed*
- *Elastiek voor de bovenkant en eventueel voor de pijpjes*

Dit broekje is gemaakt naar een basispatroon waarmee gevarieerd kan worden. Gebruik bijvoorbeeld een babyrib, katoenen stof of joggingstof. Maak aan de onderkant van de pijpen een omslag, een tunneltje met elastiek of een boordje van dezelfde stof of boordstof.

Vergroot het patroon naar de gewenste maat. Leg de stof dubbel en knip het patroon uit met een naad. Leg de panden dubbel met de goede kant naar binnen en stik de pijpen. Keer een pijp naar de goede kant en stop hem in de andere pijp. Stik de kruisnaden dicht.
Vouw het aangeknipte beleg voor de taille naar binnen en naai een tunnel. Laat een stukje open voor het elastiek. Naai aan de onderkant van de pijpjes een zoom van 5 cm naar binnen. Maak omslagen van 3 cm naar buiten en naai deze met de hand bij de binnenbeennaad vast.
Rijg een elastiek in de tailletunnel en naai deze op maat aan elkaar. Sluit de opening in de tunnel.

Variaties

**Rimpel de onderkant van de pijpjes en naai er een boordje aan, eventueel met een split aan de buitenkant en een overslag met een knoop. In plaats van een boord kan een tunnel worden gemaakt met daarin een elastiek of een bandje van stof.*
**Knip de pijpjes op de stippellijn door. Gebruik voor de onderkant een andere stof. Naai tussen de naad aan de buitenkant van de pijpen een klep met daarop een knoop. Voor een meisje kunt u een broderiekantje tussen het stiksel naaien.*

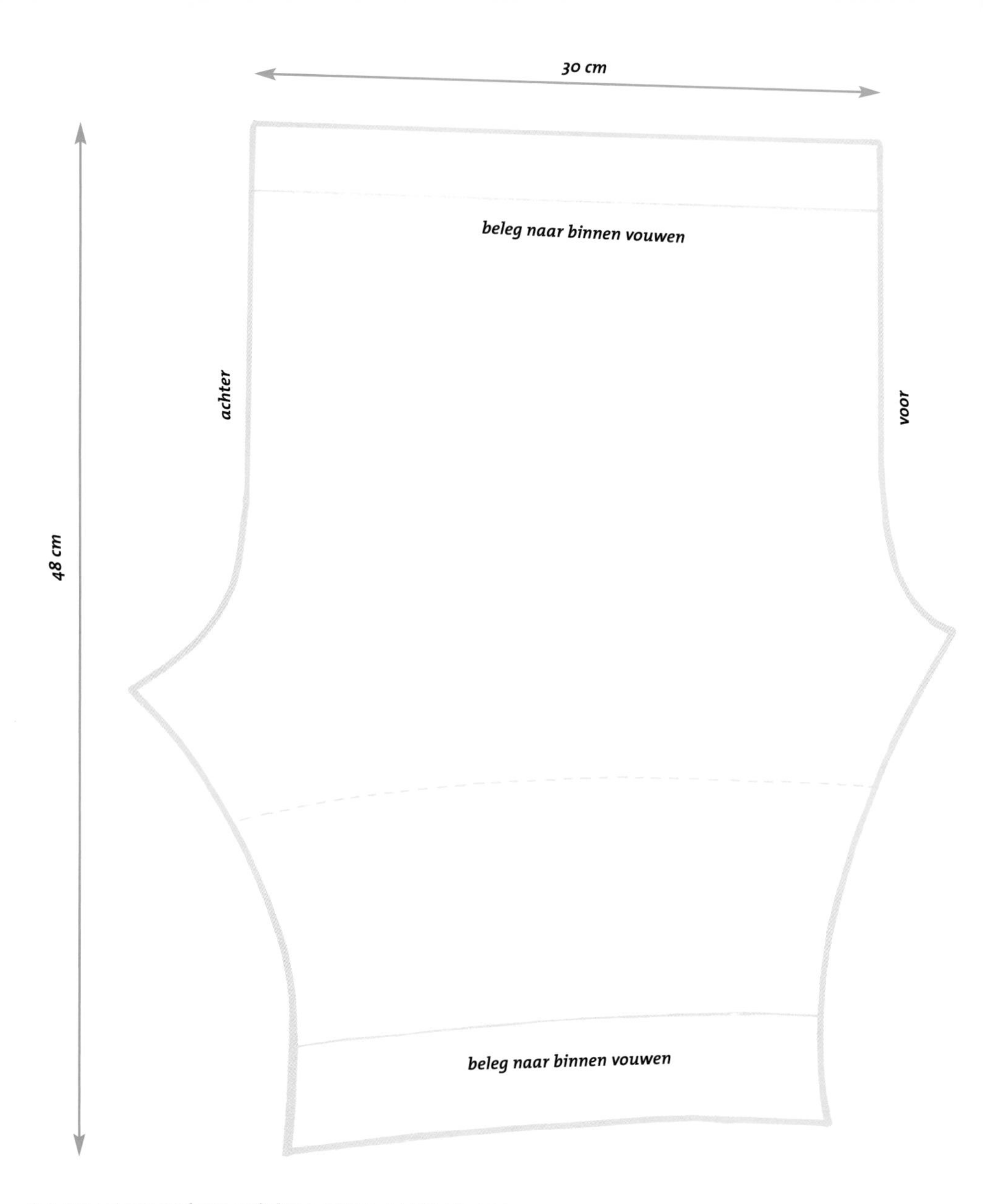
30 cm
48 cm
beleg naar binnen vouwen
achter
voor
beleg naar binnen vouwen

Bijtring met knisperdieren

Baby's en kleine kinderen zijn gefascineerd door bijzondere geluidjes. Daarom heb ik zachte stoffen beestjes, met daaraan een bijtring, gevuld met plastic van een dunne plastic zak, dat knispert als je hem beweegt. Gebruik altijd één laag plastic zodat er geen water tussen kan blijven zitten na het wassen.

Schaapje:

BENODIGD MATERIAAL

- *Geel en ecru tricot badstof*
- *Bruin en oranje vilt*
- *Ercrukleurig koord*
- *Houten bijtring (ongelakt)*
- *Knisperplastic*
- *Beetje fiberfill vulling*
- *Geel en ecru garen*
- *Blauwe borduurzijde*
- *Pen of stift*

Neem het patroon van het schapenlijf over op papier en knip het uit met een flinke rand. Knip een stuk plastic dat ook groter is dan het patroon.
Leg een lapje ecru badstof met de goede kanten op elkaar. Leg hierop het plastic en vervolgens het papier met het patroon. Naai nu door alle lagen heen over de patroonlijn en laat steeds stukjes open voor de kop, poten en staart. Scheur het papier weg en knip de stof rondom het stiksel met een naad van een halve cm. Geef kleine knipjes bij de hoeken en rondingen. Keer het lijf door de opening van de kop.
Knip van vilt de kop, poten en oren. Naai deze in de betreffende openingen, vouw de oortjes eerst dubbel en naai deze aan de bovenkant naast de kop.
Teken met een pen stipjes voor de ogen en streepjes voor de bek.
Neem een stukje koord, leg er een knoop in en naai het in de opening voor het staartje. Naai nu rondom met kleine steekjes met de hand langs de randen om de golflijn te accentueren.
Neem een stukje koord van ongeveer 80 cm en vouw het dubbel. Naai dit aan de bovenkant van het schaapje stevig vast. Neem het koord dubbel en knoop het om de ring.

Eendje:

Naai het eendje op dezelfde manier als het schaap en laat aan de zijkant een extra opening om te keren.
Naai de snavel en de poten in de betreffende openingen.
Duw een dotje vulling in de kop en rijg een draad door de halslijn (stippellijn op patroon). Trek hem enigszins aan en wikkel de draad nog enkele keren om de hals. Borduur met een blauw draadje kleine oogjes. Naai de opening aan de zijkant dicht.
Leg een knoop in het uiteinde van het dubbele koord en naai dit aan de onderkant aan de hals stevig vast.

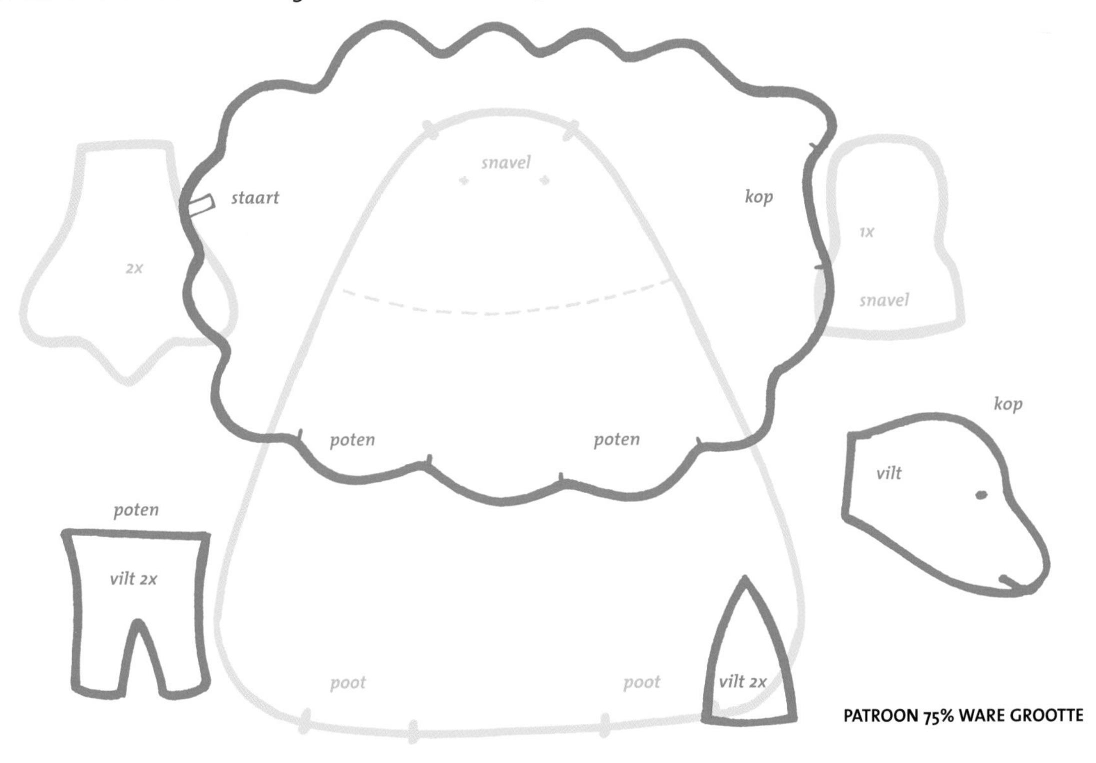

PATROON 75% WARE GROOTTE

Kapstok/knuffelplankje

BENODIGD MATERIAAL

- *Berken multiplex van 9 mm dikte (70 bij 55 cm)*
- *Berken triplex van 5 mm dikte (50 bij 20 cm)*
- *Rondhout van 14 mm doorsnede (50 cm)*
- *Decoupeerzaag met fijn houtzaagje*
- *Boormachine, eventueel boorstandaard*
- *Platte houtboor van 14 mm*
- *Houtboortje van 4 mm met scherp puntje*
- *Twee schilderijhaakjes met kleine schroefjes of spijkertjes*
- *Houtlijm*
- *Lijmklemmen*
- *Vloeibaar hout (lichte kleur)*
- *Schuurpapier*
- *Decorfin universal satin in de kleuren rood (300), geel (206), groen (688), oranje (235) en blauw (527) Amsterdam kleur wit van*
- *Talens (tube)*
- *Kwasten*

Dit knuffelplankje en tevens kapstokje is een uitdaging voor de gevorderde knutselaar. Het is multifunctioneel en er kan jaren gebruik van worden gemaakt.

Koop het hout in een goede doe-het-zelfwinkel en laat de verschillende delen van het 9 mm multiplex op maat zagen zodat er rechte stukken en haakse hoeken zijn. Het stuk van 28 bij 50 cm is voor de achterkant en de strook van 11 bij 50 cm voor het ligplankje.
Teken de patronen van de zijdelen op de stukken van 10 bij 28 cm en zaag ze uit met de decoupeerzaag. Maak een kartonnen mal van de olifantenkop en teken er 5 op het overgebleven stuk multiplex. Zaag de koppen uit met de decoupeerzaag. Schuur de zaagranden met grof en daarna met fijner schuurpapier glad. Maak de delen stofvrij en wrijf vloeibaar hout in de groefjes waar het hout eventueel gesplinterd is.
Maak een gaatje voor het oog in de kartonnen mal en teken aan één kant de ogen op de houten koppen. Boor met een boortje van 4 mm een gaatje in de kop. Boor tot het puntje net door het hout heen komt. Keer de kop en boor aan de andere kant het gaatje door het puntje van de boor in het gaatje te steken. Hierdoor ontstaat geen versplintering van het hout aan de rand van het oog.
Zaag 10 oren uit het stukje triplex op dezelfde manier als bij de koppen en werk ze netjes af met schuurpapier en vloeibaar hout. Lijm de oren aan weerszijden van de koppen en klem ze een half uurtje aan. Doe er enkele reststukjes hout tussen om de oren niet met de klemmen te beschadigen Laat de oren niet verder dan 1.5 cm naar achter uitsteken.
Boor nu het gat voor het rondhout door de koppen op de aangegeven plaats. Boor eenzelfde gat door de twee zijdelen.
Lijm eerst het ligplankje op de achterkant. Meet daarvoor 9.2 cm vanaf de bovenkant en teken een potloodlijn. Leg een reepje houtlijm onder deze lijn

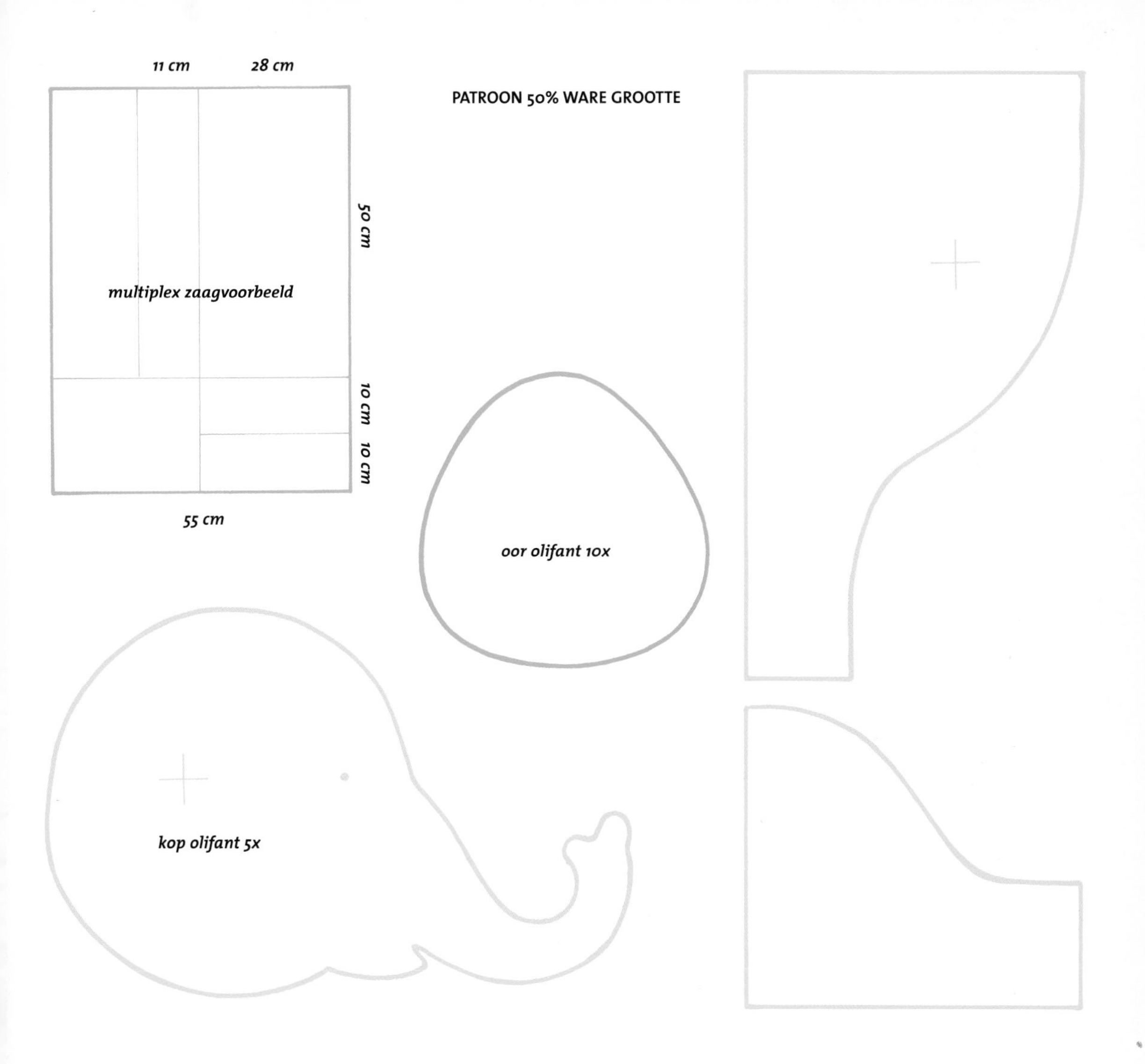
11 cm
28 cm
PATROON 50% WARE GROOTTE
50 cm
multiplex zaagvoorbeeld
10 cm
10 cm
55 cm
oor olifant 10x
kop olifant 5x

en zet het ligplankje onder tegen deze lijn aan. Klem hem voorzichtig vast. Zet er een zijdeel tegenaan om te zien of hij haaks staat.
Lijm de onderste zijdelen tegen de achterkant en tegen het ligplankje op 2 cm vanaf de kanten. Klem ze voorzichtig vast.
Laat tussen de verschillende handelingen de lijm goed drogen en controleer goed of alles haaks vastzit. Lijm als laatste de bovenste zijdelen op 1 cm vanaf de zijkanten vast. Sla aan de achterkant nog enkele kleine spijkertjes als extra bevestiging.Bevestig twee schilderijhaakjes of boor twee gaatjes in het hout om het kapstokje te kunnen ophangen aan de muur.
Schilder de olifanten in de kleuren zoals bij de benodigdheden is aangegeven. Schilder niet in de gaten van de oren en het oog. Beschilder de gele olifant eerst met wit zodat de gele verf beter dekt. Meng voor de crèmekleur wit met enkele druppeltjes geel en rood. Maak genoeg verf aan, want twee keer precies dezelfde kleur mengen is niet mogelijk. Beschilder de kapstok en het rondhout met de crèmekleur.
Schuur de olifanten en de kapstok licht op en lak alles met acryllak, behalve het stukje rondhout. Schuif het rondhout door de zijkant, door de olifanten en door de andere zijkant.

Een dergelijke mooie kapstok zal een hele verrassing zijn!

Speenhouder met kant

Naai tussen de omgevouwen naden van de dubbelgevouwen strook stof het broderiekant. Leg het elastiek aan de binnenkant tegen de stofvouw en naai op 1 cm vanaf de kant naast het elastiek.
Werk verder zoals bij de eerdere omschrijving is aangegeven.

BENODIGD MATERIAAL

- *Een strook soepele stof van 7 bij 120 cm*
- *Broderiekant van ongeveer 1.5 cm breed*
- *Voor de overige materialen zie de beschrijving op blz. 12*

Vingerpoppenkast

BENODIGD MATERIAAL

- *Karton van verpakkingsdozen uit de supermarkt*
- *Snijmes en snijplaat*
Pakpapier en dubbelzijdig aslan
- *Schaar met scherpe punt*
- *Gekleurd knutselkarton*
- *Holpijpje met een doorsnede van 5 mm, verkrijgbaar in een goede gereedschapswinkel*
- *Stukje afvalhout*
- *Hamer*
- *Acrylverf en kwasten*
- *Heavy gel*
- *Multicoat*
- *Stukjes smal lint*
- *Twee gekleurde kralen*

Vingerpoppen kun je zelf maken. Ik heb ze echter gekocht en heb er zelf een poppenkast voor gemaakt.
De poppenkast is versierd met dierfiguren die ik vond op een rol pakpapier. Hij is gemaakt van karton, maar u kunt hem ook vervaardigen van berkenmultiplex.
Laat de poppenkast eventueel versieren door kinderen. Zij zullen het ook leuk vinden om een voorstelling te geven voor de baby.

Neem het patroon van het voorpaneel over op ware grootte en snij het twee keer uit dozenkarton. Zorg ervoor dat de ribbels van het karton dwars op elkaar gelijmd worden. Plak de twee lagen met heavy gel op elkaar en smeer flink wat heavy gel over de randen, dit geeft meer stevigheid. Leg een stuk plastic of hout op het karton en leg daar een stapel boeken op. Laat het zo een tijdje drogen.
Beschilder vervolgens de binnenkant en de randen met acrylverf en beplak de voorkant met gekleurd karton. Eventueel kan ook de binnenkant hiermee beplakt worden.
Plak de dieren of andere afbeeldingen op het aslan en knip ze uit. U kunt ze ook uit stof knippen of een stukje behangrand gebruiken. Plak de afbeeldingen op het voorpaneel of laat kinderen versieringen tekenen en plakken.
Maak twee zijpanelen van 13 bij 29 cm en werk ze af als bij het voorpaneel.
Sla aan weerskanten van het voorpaneel gaatjes met het holpijpje op 1 cm vanaf de zijkant en ongeveer
3 cm vanaf de onderkant en 5 cm vanaf de bovenkant. Leg het stukje afvalhout eronder om de tafel niet te beschadigen. Sla in de zijpanelen gaatjes tegenover de gaatjes van het voorpaneel. Knoop de zijpanelen aan het voorpaneel met stukjes lint of koord door de gaatjes.
Snij twee stroken karton van 3 bij 35 cm (ribbel kruiselings) en lijm deze op elkaar. Schilder de randen met verf en plak stroken gekleurd karton aan

weerskanten. Snij aan de bovenkant van de zijpanelen op 3 cm vanaf de achterkant een inkeping van 2 cm diep met de dikte van de strook karton. Schuif de strook in deze inkepingen en snij een cm uit de strook zodat deze vast komt te zitten als de zijpanelen haaks op het voorpaneel staan. De poppenkast staat nu stevig.
Ter versiering kan aan weerskanten van de strook nog een gekleurde kraal worden opgehangen aan een stukje lint. Sla hiervoor gaatjes aan de uiteinden met het holpijpje.

PATROON 50% WARE GROOTTE

Gedicht:

voor bij de spaarpot *(zie blz. 47)*

Wij wensen dat dit kind
..... (naam)
rijk zal zijn
aan liefde en geluk;
rijk zal zijn om gul te kunnen geven
en zorgeloos te leven.

BENODIGD MATERIAAL

- *Karton van verpakkingsdozen uit de supermarkt*
- *Snijmes en snijplaat*
- *Stukje afvalhout*
- *Pakpapier*
- *Dubbelzijdig aslan*
- *Gekleurd karton*
- *Schaar met scherpe punt*
- *Holpijpje met een doorsnede van 5 mm*
  Drie stukken lint van ongeveer 1.60 meter
- *Heavy gel en multicoat*

Kaartenhanger

Ik werd door de vrolijke dieren op het pakpapier geïnspireerd om deze kaartenhanger te maken.

Plak eerst de dieren of andere afbeeldingen op het aslan en knip ze uit. Teken een vorm waar de afbeeldingen op een leuke manier opgeplakt kunnen worden. Snij deze vorm twee keer uit een stuk karton met de ribbel dwars op elkaar. Lijm de stukken op elkaar met heavy gel zoals bij de poppenkast is aangegeven. Beplak de voor- en achterkant met knutselkarton. Plak nu de stickers op de kaartenhanger en breng een of twee laagjes multicoat aan als afwerking.
Bepaal de plaats voor de gaatjes aan de onderkant en één aan de bovenkant en sla deze erin met het holpijpje. Steek de linten van voor naar achter door de gaatjes en lijm ze met heavy gel aan de achterkant vast. Het middelste lint kan met een ophanglus aan de bovenkant worden vastgemaakt.
Doe er kleine knijpertjes bij in bijpassende kleuren en hang aan het lint een kaartje met gedichtje.

Gedicht:

Welkom kindje op deze wereld,
welkom kindje kom er bij.
Welkom op deze grote aarde.
Er is voor jou een plaatsje vrij.

PATROON 50% WARE GROOTTE

20 cm

KREKEL

Spaarpot

BENODIGD MATERIAAL

- *Blikken bus*
- *Blikschaar*
- *Materiaal om de bus te versieren*
- *Heavy gel*
- *Aslan*
- *Multicoat*
- *Eventueel stukje metaaldraad, lint en kaartje*

Een spaarpot voorzien van een geluksmuntje is een cadeautje dat vroeger vaak gegeven werd om het kind een rijk leven toe te wensen.
Ik heb een spaarpot gemaakt van een blikken bus waarop ik dezelfde dierenfiguren heb geplakt als bij de poppenkast en de kaartenhanger.

Knip uit het midden van het deksel een stukje weg met een blikschaar.
Beplak het blik met de gewenste materialen zoals beschreven is bij de spanen doosjes en de kaartenhanger. Op het deksel is een stukje karton geplakt met daarin de gleuf voor het geld.
Prik eventueel een klein gaatje en steek daardoor een stukje metaaldraad met een oogje dat aan de bovenkant uitsteekt.
Hieraan kan een lintje of koordje bevestigd worden met een kaartje met een gelukswens (zie blz. 44).

Fotoalbum

BENODIGD MATERIAAL

- *Fotoalbum*
- *Stof voor de hoes (hier is gordijnstof gebruikt)*
- *Plakvlieseline*
- *Naaigaren*

Een mooi cadeau is een fotoalbum voor de baby. Het bevat speciale pagina's om de kenmerken van de baby te noteren zoals datum, geboortegewicht enz. Het is een feest om in zo'n prachtig album de eerste foto's in te plakken en de gegevens bij te houden. Maak er een hoes van stof omheen in dezelfde stijl als de andere cadeautjes.

Neem de maat van het album en meet daarbij 20 cm extra voor de omslagen en 3 cm extra aan de lange kanten. Knip een lap stof met deze maten. Vouw de zoompjes aan de lange kanten om (meet op het boek voor de precieze maat) en strijk ze plat. Knip nog een lap voor de voering zonder de

omslagen (wel met de zoompjes aan de lange kanten). Knip een strook plak-vlieseline zonder zoompjes en omslagen en strijk deze op de voeringstof binnen de zoompjes. Vouw de zoompjes om tot dezelfde breedte als de stof voor de buitenkant.
Meet de omslagen en naai een applicatie op de voorkant. Bij het voorbeeld is een vierkant uit stof geknipt en afgewerkt met een randje van afstekende stof. Dit is op de buitenstof genaaid.
Leg de buitenstof binnenstebuiten om het boek en bepaal hoe de omslag genaaid moet worden. Doe hiervoor het boek dicht. Naai de omslagen en keer de stof weer om. Leg de voeringstof tegen de binnenkant en naai deze met een stiksel aan de rand vast op de buitenstof. Stop bij het stiksel van de omslagen en schuif de voeringstof hieronder.
Steek het boek in de hoes.

Maak een kaartje en doe er een gedichtje in of schrijf het gedichtje in het album.

Vensterkaart

Maak eerst een sticker van een afbeelding uit dezelfde stof die gebruikt is voor de andere cadeautjes. In dit geval komt hij uit de gordijnstof.
Door de sticker op een aparte inlegkaart te plakken en het passe-partout open te laten ontstaat het idee van een boekje. Er kan eventueel nog een extra inlegvel ingebonden worden met de tekst van een mooi gedicht of speciale wens.
Prik voor het inbinden drie gaatjes in de rug van de op elkaar liggende kaarten en rijg er een dun draadje doorheen. Knoop dit aan de binnenkant vast.

BENODIGD MATERIAAL

- *Dubbele kaart met een passe-partout*
- *Inlegkaart*
- *Sticker van stof of papier*

5 oktober 2003
52
cm
lang
Thijmen
Lucas Bram
3920
gram
LODGE

Geboorteschilderij

Een geboorteschilderij is snel gemaakt van een schildersdoek of een houten paneeltje. Leg van tevoren alles klaar, zodat het schilderij afgemaakt kan worden als de baby geboren is.

Een schildersdoek is al voorbehandeld en kan meteen beschilderd worden. Een stukje multi- of triplex kunt u het beste eerst voorbewerken met bijvoorbeeld Gesso van Talens. Een of twee laagjes latex voldoen ook. Beschilder ook de achterkant van het paneeltje tegen kromtrekken.
Maak nu eerst met een liniaal en potlood de indeling van de vlakken, afhankelijk van de afbeeldingen die u er gaat opplakken. Vul de vlakken in met kleur, maar maak ze niet te donker zodat de tekst er goed op uitkomt (zie beschrijving spanen doosjes).
Maak de stickers volgens de beschrijving van de spanen doosjes en plak deze op het schilderij. Als het kindje geboren is kan de tekst erop geschreven worden met de permanentstift. Laat dit eerst goed drogen en werk het schilderij af met een laagje multicoat of acrylvernis van Talens. Test eerst of de tekst niet doorloopt tijdens het lakken. Om de rand van het doek kan een stukje lint of band worden gelijmd met heavy gel.

Een andere manier om de tekst over te nemen op het schilderij gaat als volgt. Schrijf of print de tekst op papier in de gewenste grootte. Kras met een zacht zwart potlood op de achterkant van dat papier over de letters. Leg het papier nu voorzichtig op het doek en teken met een hard potlood over de lijnen van de letters. Haal het papier weg en teken de doorgedrukte letters over met een permanentmarker in de dikte naar keuze. U kunt nu als dat nodig is nog wat corrigeren. Gum de potloodlijntjes die nog zichtbaar zijn weg. Teken niet met het harde potlood op het schilderij want dat is moeilijk weg te gummen.

BENODIGD MATERIAAL

- *Schildersdoek of stukje triplex (het voorbeeld is 30/40 cm, een iets kleinere maat voldoet ook goed)*
- *Acrylverf*
- *Kwasten*
- *Permanentstift*
- *Potlood*
- *Liniaal*
- *Afbeeldingen uit stof of papier*
- *Dubbelzijdig aslan*
- *Multicoat*

TIP: *Als u het moeilijk vindt om de tekst te schrijven, maak deze dan met de computer met letters in de gewenste grootte en print ze op gekleurd papier. Knip hiervan labels en plak deze op het schilderij.*

Ballonnen

BENODIGD MATERIAAL

- *Dozenkarton*
- *Snijmes en snijmat*
- *Stevig kopieerpapier in verschillende kleuren*
- *Kleur- en teken-materiaal (kleurstiften)*
- *Heavy gel*
- *Plantenstokjes (40 cm)*
- *Stukjes lint voor de strikken*

De ballonnen zijn gemaakt door kinderen uit groep 2 voor hun juf die een baby heeft gekregen.

Kopieer de ballonnen op gekleurd papier en laat de tekeningen eventueel door kinderen maken binnen de lijnen van de ballonnen. Maak een mal van de ballon en neem deze over op dozenkarton. Zorg ervoor dat de ribbel van het karton verticaal loopt. Bij stevig karton kan worden volstaan met één stuk karton per ballon en hoeven en geen twee delen op elkaar geplakt te worden.
Snij de ballonnen uit het karton en knip de tekeningen van de kinderen langs de buitenlijnen. Plak de tekeningen aan weerskanten van de kartonnen ballonnen.
Steek in elke ballon een plantenstokje en maak strikken om de onderkant van de ballonnen. Steek de ballonnen met elkaar in een plant in pot of in een emmer met zand. Leg op het zand gekleurd crêpepapier en daarop eventueel cadeautjes.

PATROON WARE GROOTTE

GEORGIA
lenie
Lian

Ecru/roze kraammand

BENODIGD MATERIAAL

- *Mand met hengsel*
- *Broderiestof (1.30 m)*
- *Elastiek (lengte tweemaal rond de mand)*
- *Kant, nylon of broderie (ongeveer 3.5 meter lang en 5 cm breed) Voor deze mand is nylon kant gebruikt.*
- *Lint (4 cm breed en 1.75 cm lang)*

Voor een meisje kan een roze mand gemaakt worden. Deze mand is bekleed met ecru broderiestof en voorzien van ruches en kant.
Het schaapje heeft een lijf van bloemetjesstof, die weer gebruikt kan worden voor de overige cadeautjes.

Maak eerst een strook van de broderiestof voor de bekleding van de mand. Voor de breedte van deze strook de hoogte van de mand meten plus 20 cm extra voor de rand en de bodem. Voor de lengte van de strook van hengsel naar hengsel meten en deze lengte anderhalf keer nemen. Knip twee stukken van deze lengte en leg ze met de goede kant op elkaar. Naai de korte kanten op elkaar tot op 15 cm vanaf het eind. Werk de naad af met een zigzagsteek en strijk deze open.
Maak aan de lange kant waar het stiksel van de naad tot het einde loopt een zoompje. Naai aan de andere kant (waar de splitten zijn) een zoom van 1.5 cm en laat de uiteinden van de zoompjes bij de splitten open. Rijg een elastiek door deze zoom en leg daarbij de stof over de rand van de mand met de splitten bij de hengsels. Rijg het elastiek aan de buitenkant van de mand bij de splitten. Verdeel de ruimte van de stof en leg de strook netjes in de mand.

Knip een strook stof van 10 cm breed met een lengte van tweemaal de omtrek van de mand. Vouw langs de lange kanten een klein naadje om en strijk dit plat. Naai de strook bij de uiteinden aan elkaar. Vouw hem dubbel met de goede kant naar buiten en de naadjes naar binnen.
Leg het kant tussen de naadjes en stik langs de rand de strook dicht. Naai op 1 cm vanaf dit stiksel, waardoor een tunnel ontstaat. Laat een opening voor het elastiek en rijg dit erdoorheen. Maak de uiteinden van het elastiek aan elkaar zodanig dat de strook om de mand past.
Leg de strook om de mand en naai hem met draad en naald bij de hengsels

met enkele steekjes vast. Naai hiermee meteen de splitten van de bekleding bij het elastiek aan elkaar.

Meet de bodem van de mand en knip twee stukken stof die enkele centimeters ruimer zijn. Naai ze met de goede kanten op elkaar en laat een stuk van 15 à 20 cm open om te keren. Knip twee stukken fiberfill ter grootte van de bodem en leg deze op elkaar. Keer de hoes en leg er de stukken fiberfill in. Sluit de opening en leg het matrasje op de bodem van de mand.

Neem voor het kussentje twee stukken stof van 22 bij 32 cm. Knip de hoeken voor de bovenkant rond weg.
Neem een stuk kant van 1 meter lengte en rijg een draad om te rimpelen. Leg het kant op de goede kant van één deel van de stof langs de zijkanten en de bovenkant. Verdeel de ruimte en geef extra ruimte op de hoeken. Rijg het kant vast langs de buitenrand (zie tekening). Leg het andere deel met de goede kant naar binnen op het kant en naai de twee delen aan elkaar. Laat aan de onderkant een stukje open om te keren.
Knip een stukje fiberfill dat iets kleiner is dan het kussenhoesje. Keer het hoesje en stop het fiberfill erin. Sluit de vulopening.

bovenkant kussentje

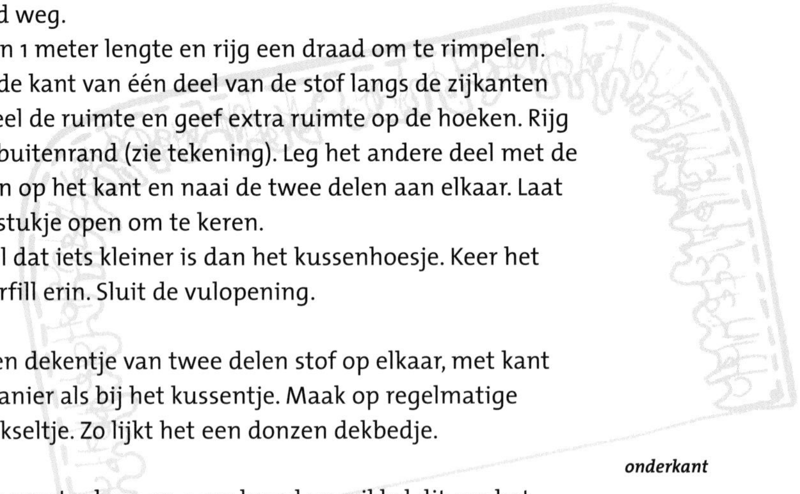

onderkant

Maak eventueel nog een dekentje van twee delen stof op elkaar, met kant rondom op dezelfde manier als bij het kussentje. Maak op regelmatige afstanden een klein stikseltje. Zo lijkt het een donzen dekbedje.

Neem een stuk lint van 1 meter lang en 4 cm breed en wikkel dit om het hengsel van de mand. Naai het onder de bekleding aan de binnenkant vast door enkele steken door de mand te halen. Neem het overige lint van 75 cm en maak daarvan een strik om het hengsel aan de zijkant. Knip de uiteinden van het lint schuin.

Judie

Schaapjesknuffel

De kop van het schaapje kan van tevoren gemaakt worden en als bekend is of het een jongen of meisje is geworden wordt het lijf er snel aangezet.

Voor de kraag van dit schaapje is hetzelfde kant gebruikt als voor de mand. Omdat dit niet breed genoeg is zijn twee delen aan elkaar gezet en ontstaat een stuk van 80 cm lang en ongeveer 8 cm breed. U kunt ook breed broderiekant of een strook soepele stof kiezen.

Knip de delen van de stof voor de kop volgens de tekening van het patroon, met naad. Het patroon is getekend zonder naad. Neem voor de binnenkant van de oren een roze of neutrale beige katoenen stof. Naai voor de snuit de voorkant tussen de twee zijkanten (ecru katoen). Naai de twee achterdelen van pluche aan elkaar.
Maak twee oren en leg deze dubbel volgens de tekening. Naai de voor- en achterkant aan elkaar met de oren ertussen.
Rijg een stevige draad door de onderkant van de kop en vul deze op met fiberfill. Trek de rijgdraad aan en vul nog bij tot de snuit stevig aanvoelt. Trek de draad strak en hecht hem af.
Neem een lange dunne naald en twee draadjes borduurgaren en naai de snuit en de ogen volgens de tekening. Voor de ogen kunnen kleine glasoogjes aangenaaid worden, maar voor de veiligheid van de baby is het beter om oogjes te borduren. Hecht de draad af aan de onderkant van de kop.
Knip een strook katoenen stof van 12 bij 32 cm en naai daar een langwerpig zakje van. Naai de punten van de onderste hoeken schuin weg (zie tekening) en knip ze af. Draai het zakje om en vul het stevig met fiberfill. Rijg een draad door de bovenkant en trek hem aan. Naai het zakje aan de onderkant van de kop.

Knip de hoeven van pluche en het lijf van katoen. Leg de twee delen van het

BENODIGD MATERIAAL

- *Pluche ecru (15 à 20 cm)*
- *Katoen ecru (15 cm)*
- *Kant (1.60 m van 5 cm breed)*
- *Lint (60 cm)*
- *Fiberfillvulling*
- *Stof voor lijf (35 cm)*
- *Lange dunne naald en borduurgaren (DMC 839)*

lijf met de goede kanten op elkaar en naai de bovenkant dicht. Laat een opening voor de hals. Rimpel de voorpoten. Dit kan met de machine door een stiksel te maken met een heel grote steek. Naai de kleinste hoeven aan de voorpoten. Leg de hoeven dubbel en naai ze dicht, naai door en sluit zodoende de zijnaden. Rimpel de onderkant van de achterpoten en naai de hoeven aan. Leg de hoeven dubbel en naai deze dicht evenals de binnenbeennaden.
Keer het lijf door de hals. Stop een klein beetje vulling in de voor- en achterpoten. Leg het zoompje van de hals naar binnen en rijg een draad rondom. Steek het zakje van de kop door de hals naar binnen en trek de draad aan. Naai het lijf aan de kop.
Rijg een draad in de zijkanten van het lijf onder de voorpoten (zie stippellijn op het patroon) en rimpel de stof. Naai het stevig vast.
Rijg de kraag en bevestig deze in de hals. Maak een strik van het lintje en knip de uiteinden schuin.
Door het zakje in het lijf kan het schaapje rechtop zitten.

halsopening

patroon lijf 50% van ware grootte

achterkant kop

2x pluche

ware grootte

aanzet kleine hoef

stofvouw

1 x katoen

dubbelvouwen

oor

2x pluche 2x katoen

onderkant

onder

aanzet grote hoef

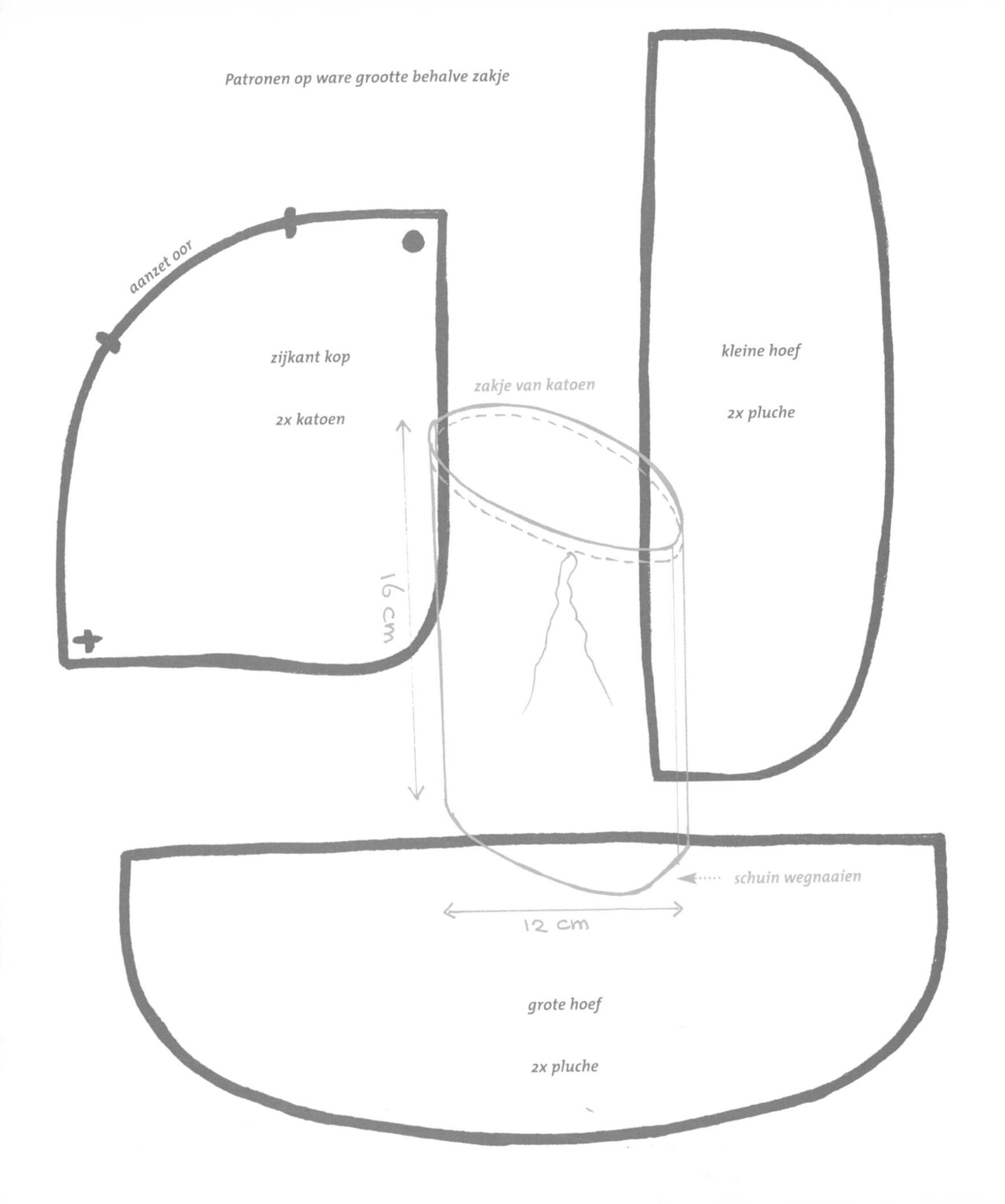
Patronen op ware grootte behalve zakje
aanzet oor
zijkant kop
2x katoen
zakje van katoen
16 cm
kleine hoef
2x pluche
schuin wegnaaien
12 cm
grote hoef
2x pluche

Rijst rammelaar

Maak een rammelaar met een zacht geluid, alsof het regent. Hier is gebruikgemaakt van een koker van een merk chips. Als u hem heen en weer schudt en draait, hoort de baby een prettig geluid. Hij is ook heel mooi om neer te zetten.

Meet de doorsnede van de koker en snij een strook karton die twee cm breder is en de lengte heeft van de koker. Maak er knipjes in (zie voorbeeld) en vouw de geknipte delen om en om gekruld naar buiten. Vouw de strook rond en pas hem in de koker. Haal hem er weer uit en smeer hem helemaal in met verharder voor papier, zoals Pretex. Snij nog een smallere strook en maak daar aan één kant knipjes in. Bewerk deze strook op dezelfde manier. Pas de stroken samen in de koker. Er moet ruimte tussen zitten zodat de rijst er via de klepjes naar de andere kant doorheen kan lopen.
Laat de stroken buiten de koker drogen en smeer ze nog een keer in. Laat ze even drogen en zet ze vervolgens in de koker waar ze helemaal hard moeten worden.
Doe er een klein kopje rijst in en sluit de koker met het deksel. Probeer of de rijst goed loopt.

Knip een stukje stof dat groter is dan het deksel en leg dit er overheen. Smeer de rand van de koker in met heavy gel en lijm de stof over de rand vast. Neem een klosje garen en wikkel er wat draad omheen. Knip de overtollige stof weg. Doe hetzelfde aan de kant van de bodem.
Versier de koker verder naar keuze en werk de randen af door er lint op te lijmen. Doe er een strik omheen en hang er eventueel een kaartje aan met een gedichtje.

BENODIGD MATERIAAL

- *Kartonnen koker met deksel en bodem*
- *Stukje karton*
- *Versiersels voor de koker zoals gekleurd papier, lapjes stof, kant en band*
- *Heavy gel*
- *Pretex*
- *Kwastje*
- *Klosje garen*

GEDICHT

Jouw handje
in de mijne,
vol liefde hand in hand.
Mijn grote hand,
jouw kleine
een levenslange band.

Vensterkaart met kant

BENODIGD MATERIAAL

- *Dubbele blanco kaart*
- *Inlegkaart*
- *Stukje kant*
- *Knipvel met babyplaatjes*
- *Gekleurd papier*
- *Lintje, koordje*
- *Holpijpje of perforator*
- *Fotolijm*
- *Kartelschaar (golf)*

Vouw de kaart dubbel en knip met de golfschaar een randje weg aan de voorkant. Lijm met fotolijm het kant op de kaart en vouw de uiteinden over de rand naar binnen. Knip een plaatje uit een knipvel en lijm dit half over het kant op de voorkant van de kaart.
Neem een kaart van een afwijkende bijpassende kleur en snij of knip daarvan een strookje. Plak dit op de achterkant van de kaart om de uiteinden van het kant weg te werken. Knip met de golfschaar een klein kaartje van de afwijkende kleur en schrijf daarop de naam van de baby.
Maak een gaatje met het holpijpje of perforator bovenaan in de kaart en bevestig daar het kaartje met een lintje.
Maak een inlegkaart en schrijf of print daarop een gedicht. Bevestig deze kaart op de wijze zoals is beschreven bij de vensterkaart (zie blz. 48).

Geboorteschilderij met kant

BENODIGD MATERIAAL

- *Schildersdoek (24 bij 30 cm)*
- *Acrylverf*
- *Permanentmarker*
- *Katoenen kant*
- *Smal lint en lint van 1.5 cm breedte*
- *Pons met babyvoetje*
- *Knipvel met babyafbeeldingen*
- *Gekleurd papier*

Dit geboorteschilderij is gemaakt op een opgespannen doek van 24 bij 30 cm. Maak eerst de indeling met potloodlijnen en kleur de vlakken met acrylverf. Houd bij de indeling rekening met het kant dat er op het laatst opgelijmd wordt. Lijm over de potloodlijnen een smal lintje met heavy gel.
De letters van de naam van de baby zijn overgenomen van het geboortekaartje. Gebruik eventueel letters die je kunt maken met de computer. Zet de letters volgens de beschrijving op blz 50 op het schilderij en vul ze in met acrylverf. Werk het schilderij af met opgeplakte plaatjes en lak het met acrylvernis. Rijg door het bovenrandje van het kant een lintje en lijm alleen de bovenrand met heavy gel op de goede plaats vast. Laat de rest van het kant loshangen, evenals het strikje en de uiteinden van het lint.

3
november
19.54 uur
Judie
50 cm
2003
2990
Haarlem
Judie

Kraamdagboekje en fotomapje

BENODIGD MATERIAAL

- *Fotomapje*
- *Blanco schrijfboekje*
- *Dubbelzijdig aslan*
- *Mooi papier of stof*
- *Stukje kant*
- *Heavy gel*
- *Stukjes lint*

Er zijn kleine dagboekjes te koop die gebruikt kunnen worden om wetenswaardigheden in te schrijven. Hoe gaat het met moeder en kind. En met de vader? Wie zijn er allemaal op visite geweest?
Als de moeder er niet aan toekomt omdat alle tijd gaat zitten in het bezig zijn met de baby, is het misschien leuk om de visite te vragen een wens in het boekje te schrijven.
Ook een klein fotomapje is handig om de eerste fotootjes in te doen om mee te pronken. Beplak dit mapje en boekje met een leuk stofje of mooi papier.

Neem een ruim stuk aslan en knip de hoeken schuin weg. Vouw de randen naar binnen om de kaft. De rug hoeft niet beplakt te worden als de kleur bijpassend is.
Plak eventueel met heavy gel twee lintjes aan de binnenkant. Als afwerking kan daarop een stukje karton gelijmd worden, beplakt met stof of papier. Strik met de lintjes het boekje dicht.

Lettervlag

BENODIGD MATERIAAL

- *Stof voor de vlag (een strook van 52 cm breed)*
- *Afstekende stof voor de letters*
- *Vliesofix*
- *Garen in de kleur van de ondergrond*

Als het kindje is geboren en de naam bekend is, kan er nog snel een lettervlag worden gemaakt.

Neem de benodigde letters over van het geboortekaartje zoals bij het schilderij is beschreven of gebruik andere letters, bijvoorbeeld via de computer. Vergroot deze tot de gewenste grootte. Strijk een stukje stof op vliesofix en knip daar de letters uit.
Maak eventueel vlaggen van vierkante lapjes in plaats van punten. Knip uit

de strook stof net zoveel stukken van 20 cm als nodig is voor de letters.
Leg een lapje dubbel met de goede kant op elkaar. Naai rondom en begin op 2 cm vanaf de vouw en eindig op 4 cm vanaf de vouw. Knip de twee hoeken schuin weg en keer de vlag door de opening van 4 cm. Vouw de naden bij de openingen netjes naar binnen en strijk de vlag glad.
Maak zo alle vlaggen en strijk daarop de letters.
Rijg een koord door de openingen en naai dit vast met een stiksel dat meteen ook de openingen aan de zijkant dichtmaakt. Naai door tot de onderkant van de vlag op enkele mm van de kant.
Laat tussen de vlaggen een cm ruimte en strik daar enkele lintjes ter versiering.

TIP: *Maak twee stukken met puntvlaggen en knoop daartussen de naamvlaggen.*